D1250660

VÁ DOVE TI PORTA IL CUORE
FOLLOW YOUR HEART

by
Susanna Tamaro

Series Editor
Lisa R. Tucci

Annotation by
Lisa R. Tucci
Elaine Findlay

A NOVEL IN THE ORIGINAL ITALIAN
WITH AN ITALIAN-ENGLISH GLOSSARY

LIN·GUAL·I·TY
Cambridge

VA' DOVE TI PORTA IL CUORE ANNOTATED EDITION copyright ©2008
Linguality, Inc. Authorized annotation of the Italian edition copyright
©2006 Susanna Tamaro. This annotated edition is published and
sold by permission of Susanna Tamaro, the owner of all rights to
publish and sell the same. All rights reserved.

AN INTERVIEW WITH SUSANNA TAMARO ©2008 Linguality. Inc.

Printed in the United States of America. No part of this book may
be used or reproduced without written permission, except in the
case of brief quotations embodied in critical articles or reviews. For
information, address Linguality, 955 Massachusetts Avenue #121,
Cambridge, MA 02139.

ISBN-13: 978-0-9795037-4-0

ISBN-10: 0-9795037-4-4

10 9 8 7 6 5 4 3 2

Preface

Linguality is pleased to launch its Italian book series with Susanna Tamaro's *Va' dove ti porta il cuore,* one of the most successful novels published in Italy in the last few decades. The author appropriately describes this remarkable book as "a journey of the soul." It is an intense and heartfelt story written in the form of letters from a dying woman to her estranged granddaughter, who is living in the United States. Looking back on her life, the grandmother spills out her innermost secrets and feelings, ponders paths taken and not taken, and attempts to come to terms with choices she made along the way. As she dissects her life's journey, the reader instinctively begins to question his or her own decisions and the risks inherent in setting a course using one's own internal bearings.

Set in Tamaro's native Trieste, in Italy's northeasternmost region, the book deftly describes the area, the mindset of its fiercely independent people, and the constraints put on individuals by the church, society, and family obligations. The grandmother, whose life has spanned nearly the entire 20th century, touches on the impact of two world wars, women's liberation, the social upheaval of the 1970s, and the Bosnian War, but her focus is on her own difficult personal journey.

It is, as Tamaro states in our interview, the story of a "failed life," and the effect of emotional isolation is a principal theme. The product of a loveless marriage, the protagonist has a comfortable but unhappy childhood with emotionally distant parents. She goes on to marry an older man and leaves Trieste to live with him in his hometown, where she is regarded as an outsider. Sent to a spa by her husband to "take the waters," she meets a dashing doctor who becomes the love of her life. Thus begins a secret life that sustains her, but that also reverberates through her family, with tragic consequences.

Avoiding the common Italian penchant for lavish description and an overuse of adjectives to evoke pathos, Tamaro is able to stir powerful emotions and rich visual images through the sheer force of her prose and an unusual "directness" of thought. She accurately states that hers is "a novel filled with sentiments and emotions, without giving way to sentimentality."

As you follow one woman's life and her observations, you will come away with a new perspective, not only on the richness of each and every life's story, but also on how your own life may look in hindsight, if analyzed frame by frame.

Buona lettura!

L.R. Tucci
Series Editor

Indice

A Pietro

realtà reality

colmo di stupore filled with wonder

seme seed

mozzo hub

al di là above and beyond

pervade pervades

pienamente fully

connotati connotations

Chiarisci i miei dubbi Erase my doubts

shivaismo kashmiro Kashmiri Shivaism. Shiva is one of the
major Hindu gods.

All words and expressions are translated according to context.

Oh Shiva, che cos'è la tua **realtà**?
Che cos'è quest'universo **colmo di stupore**?
Che cosa forma il **seme**?
Chi fa da **mozzo** alla ruota dell'universo?
Che cos'è questa vita **al di là** della forma che **pervade**
le forme?
Come possiamo entrarvi **pienamente**, al di sopra
dello spazio e del tempo, dei nomi e dei **connotati**?
Chiarisci i miei dubbi!

*Da un testo sacro dello **shivaismo kashmiro***

Opicina a small town in Italy's farthest northeast region, near Trieste

partita departed

cartolina postcard

comunicavi let me know

tue notizie your news

fermata a lungo stopped for awhile

Nonostante Even though (*literally:* Notwithstanding)

autunno inoltrato late autumn

spicca budding

porpora purple

arrogante arrogant

spenta lifeless

piantata planted

Il piccolo Principe *The Little Prince*, a famous children's tale by French aviator and author Antoine de Saint-Exupéry

regalato given as a gift

promozione promotion to the next grade

incantata enchanted

volpe fox

baobab an African tree with a massive trunk

aviatore aviator

presuntuosi presumptuous

minuscoli tiny

facevamo colazione we had breakfast

obiezione objection

curarla take care of it

furbizia cunning, cleverness

desiderio wish

negarti deny you

abbiamo discusso a lungo we argued a long time

ci siamo messe d'accordo we agreed upon

non hai chiuso occhio you stayed awake all night long (*literally:* you didn't close an eye)

bussavi you knocked

Non riesco I can't

Opicina, 16 novembre

Sei **partita** da due mesi e da due mesi, a parte una **cartolina** nella quale mi **comunicavi** di essere ancora viva, non ho **tue notizie**. Questa mattina, in giardino, mi sono **fermata a lungo** davanti alla tua rosa. **Nonostante** sia **autunno inoltrato**, **spicca** con il suo color **porpora**, solitaria e **arrogante**, sul resto della vegetazione ormai **spenta**. Ti ricordi quando l'abbiamo **piantata**? Avevi dieci anni e da poco avevi letto *Il piccolo Principe*. Te l'avevo **regalato** io come premio per la tua **promozione**. Eri rimasta **incantata** dalla storia. Tra tutti i personaggi, i tuoi preferiti erano la rosa e la **volpe**; non ti piacevano invece i **baobab**, il serpente, l'**aviatore**, né tutti gli uomini vuoti e **presuntuosi** che vagavano seduti sui loro **minuscoli** pianeti. Così una mattina, mentre **facevamo colazione**, hai detto: «Voglio una rosa». Davanti alla mia **obiezione** che ne avevamo già tante hai risposto: «Ne voglio una che sia mia soltanto, voglio **curarla**, farla diventare grande». Naturalmente, oltre alla rosa, volevi anche una volpe. Con la **furbizia** dei bambini avevi messo il **desiderio** semplice davanti a quello quasi impossibile. Come potevo **negarti** la volpe dopo che ti avevo concesso la rosa? Su questo punto **abbiamo discusso a lungo**, alla fine **ci siamo messe d'accordo** per un cane.

La notte prima di andare a prenderlo **non hai chiuso occhio**. Ogni mezz'ora **bussavi** alla mia porta e dicevi: «**Non riesco** a

5

alle sette 7:00 A.M. *Alle* followed by a number always denotes the time.

in poltrona armchair

canile dog pound

tra le grate through the bars [of the cages]

Come saprò How will I know

ansia anxiety

ti rassicuravo assured you

non preoccuparti don't worry

addomesticato tamed

tre giorni di seguito three days in a row

gabbia cage

immobile still (as in "stood still")

assorta engrossed

si buttavano threw themselves

rete fence, wire netting

abbaiavano they barked

facevano salti they jumped up

zampe paws

divellere le maglie rip apart the netting

l'addetta staff member

Credendoti Believing you to be

per invogliarti to encourage you

ti mostrava gli esemplari she showed you the breeds

Che te ne pare What do you think

emettevi you uttered (*literally:* emitted)

una specie di grugnito a sort of grunt

via crucis long and painful experience, ordeal (*literally:* Way of the Cross)

box animal pen

sul retro in the back

alloggiati staying (*literally:* accomodated)

convalescenti convalescent

invece di instead of

assieme together

senza neanche alzare without even raising

esclamato exclaimed

esterrefatta horrified, astounded

botolo orrendo horrid mongrel

dormire». La mattina **alle sette** avevi già fatto colazione, ti eri vestita e lavata; con il cappotto addosso mi aspettavi seduta **in poltrona**. Alle otto e mezzo eravamo davanti all'ingresso del **canile**, era ancora chiuso. Tu guardando **tra le grate** dicevi: «**Come saprò** qual è proprio il mio?». C'era una grande **ansia** nella tua voce. Io **ti rassicuravo**, **non preoccuparti**, dicevo, ricorda come il Piccolo Principe ha **addomesticato** la volpe.

Siamo tornate al canile per **tre giorni di seguito**. C'erano più di duecento cani là dentro e tu volevi vederli tutti. Ti fermavi davanti a ogni **gabbia**, stavi lì **immobile** e **assorta** in un'apparente indifferenza. I cani intanto **si buttavano** tutti contro la **rete, abbaiavano, facevano salti,** con le **zampe** cercavano di **divellere le maglie**. Assieme a noi c'era **l'addetta** del canile. **Credendoti** una ragazzina come tutte le altre, **per invogliarti ti mostrava gli esemplari** più belli: «Guarda quel cocker», ti diceva. Oppure: «**Che te ne pare** di quel Lassie?». Per tutta risposta **emettevi una specie di grugnito** e procedevi senza ascoltarla.

Buck l'abbiamo incontrato al terzo giorno di quella **via crucis**. Stava in uno dei **box sul retro**, quelli dove venivano **alloggiati** i cani **convalescenti**.

Quando siamo arrivate davanti alla grata, **invece di** correrci incontro **assieme** a tutti gli altri, è rimasto seduto al suo posto **senza neanche alzare** la testa. «Quello», hai **esclamato** tu indicandolo con un dito. «Voglio quel cane lì.» Ti ricordi la faccia **esterrefatta** della donna? Non riusciva a capire come tu volessi entrare in possesso di quel **botolo orrendo**. Già, perché

piccolo di taglia   smallish in size
racchiudeva   garnered, contained
razze   races; *here:* breeds of dogs
morbide   soft
slanciate   slender
bassotto   basset hound
coda spumeggiante   fluffy tail (*literally:* foamy)
volpino   Pomeranian dog
manto   coat (*literally:* mantle)
focato   tawny
firmare le carte   sign the papers
impiegata   employee
raccontato   told (*literally:* recounted)
lanciato   thrown
auto in corsa   moving car
Nel volo   In the fall
ferito   injured
zampe posteriori   back legs
pendeva come morta   hung as if dead
al mio fianco   side
sospira   sighs *or* lets out a sigh
avvicina   comes closer
muso   muzzle
posato   settled
velo   film
Mi commuovo   I'm moved/touched
ospiti   guests
ricovero   shelter
scegliere   to choose
vagando   wandering
solitudine   solitude, loneliness
incomprensioni   incomprehension
malumori   bad moods (*colloquial:* negative energy)
convivenza   living together
scomparsi   disappeared
intorno a   surrounding
cucciolo   a pup
smarrito   lost
difesa   defensive

Buck era **piccolo di taglia** ma nella sua piccolezza **racchiudeva** quasi tutte le **razze** del mondo. La testa da lupo, le orecchie **morbide** e basse da cane da caccia, le zampe **slanciate** quanto quelle di un **bassotto**, la **coda spumeggiante** di un **volpino** e il **manto** nero e **focato** di un dobermann. Quando siamo andate negli uffici per **firmare le carte**, l'**impiegata** ci ha **raccontato** la sua storia. Era stato **lanciato** fuori da un'**auto in corsa** all'inizio dell'estate. **Nel volo** si era **ferito** gravemente e per questo motivo una delle **zampe posteriori pendeva come morta**.

Buck adesso è qui **al mio fianco**. Mentre scrivo ogni tanto **sospira** e **avvicina** la punta del naso alla mia gamba. Il **muso** e le orecchie sono diventati ormai quasi bianchi e sugli occhi, da qualche tempo, gli si è **posato** quel **velo** che sempre si posa sugli occhi dei cani vecchi. **Mi commuovo** a guardarlo. È come se qui accanto ci fosse una parte di te, la parte che più amo, quella che, tanti anni fa, tra i duecento **ospiti** del **ricovero**, ha saputo **scegliere** il più infelice e brutto.

In questi mesi, **vagando** nella **solitudine** della casa, gli anni di **incomprensioni** e **malumori** della nostra **convivenza** sono **scomparsi**. I ricordi che ci sono **intorno a** me sono i ricordi di te bambina, **cucciolo** vulnerabile e **smarrito**. È a lei che scrivo, non alla persona **difesa** e arrogante degli ultimi tempi.

suggerito suggested

scrivile write her

i nostri patti our pacts/agreements

a malincuore reluctantly (*literally:* with heartache)

Queste righe non prenderanno mai il volo per raggiungerti
  These lines will never take flight to reach you

potrei I might

abbracciarti hug you

si manifesta it shows itself

innaffiando watering

all'improvviso suddenly

recinzione fence

orfana an orphan

accessori secondary

termine a term, an expression

specifichi specifies

perdita loss

vedovi widows

moto naturale natural way of doing things

si abbandonano they are abandoned/left behind

mi sono svegliata I awoke

mi fossero cresciuti as if I had grown

sottili very thin

baffi da gatto cat's whiskers

mi sono resa conto I realized/became aware

si trattava it was

tubicini little tubes

è venuto a trovarmi came to see me (*literally:* to find me)

abbaiava come un pazzo barked like crazy

Me l'ha **suggerito** la rosa. Stamattina, quando le sono passata accanto mi ha detto: "Prendi della carta e **scrivile** una lettera". So che tra **i nostri patti** al momento della tua partenza c'era quello che non ci saremmo scritte e **a malincuore** lo rispetto. **Queste righe non prenderanno mai il volo per raggiungerti** in America. Se non ci sarò più io al tuo ritorno, ci saranno loro qui ad aspettarti. Perché dico così? Perché meno di un mese fa, per la prima volta nella mia vita, sono stata male in modo grave. Così adesso so che tra tutte le cose possibili c'è anche questa: tra sei o sette mesi **potrei** non essere più qui ad aprirti la porta, ad **abbracciarti**. Un'amica tempo fa mi diceva che nelle persone che non hanno mai sofferto di niente, la malattia, quando viene, **si manifesta** in modo immediato e violento. A me è successo proprio così: una mattina, mentre stavo **innaffiando** la rosa, qualcuno **all'improvviso** ha spento la luce. Se la moglie del signor Razman non mi avesse visto attraverso la **recinzione** che divide i nostri giardini, quasi di sicuro a quest'ora saresti **orfana**. Orfana? Si dice così quando muore una nonna? Non ne sono proprio sicura. Forse i nonni sono considerati così **accessori** da non richiedere un **termine** che ne **specifichi** la **perdita**. Dei nonni non si è né orfani né **vedovi**. Per **moto naturale** si lasciano lungo la strada così come per distrazione, lungo la strada, **si abbandonano** gli ombrelli.

Quando **mi sono svegliata** in ospedale non mi ricordavo assolutamente nulla. Con gli occhi ancora chiusi avevo la sensazione che **mi fossero cresciuti** due baffi lunghi e **sottili**, **baffi da gatto**. Appena li ho aperti **mi sono resa conto** che **si trattava** di due **tubicini** di plastica; uscivano dal mio naso e correvano lungo le labbra. Intorno a me c'erano soltanto delle strane macchine. Dopo qualche giorno sono stata trasferita in una stanza normale, dove c'erano già altre due persone. Mentre ero lì un pomeriggio **è venuto a trovarmi** il signor Razman con la moglie. «È ancora viva», mi ha detto, «grazie al suo cane che **abbaiava come un pazzo.**»

cominciato began

provvedere to take steps, arrange
intermediari intermediaries
strette tight, narrow
pensionati senior citizens' homes
infermieristica nursing
aggiunto added
si immagini even think
ospizio hospice
esquimesi Eskimos
alzandosi getting up
visto che seeing as how
a faccia in giù face down
orto vegetable garden
piuttosto che rather than
inchiodata glued (*literally:* nailed)
Sorrideva He smiled
cattivo mean
scomparire disappear, vanish
corrono they run
a farsi curare to get treatment
tremano come foglie shaking like leaves

ridicolo ridiculous
se per caso fossi morta if by chance I were to die
orecchini earrings
raccolte gathered up
mi sono avviata I started towards
comparire sul cancello appear at the gate
a correre in tondo running round in circles
ribadire highlight (*literally:* reaffirm)
devastato devastated, wrecked
aiuole flower beds
sgridarlo reprimand him

Quando già avevo **cominciato** ad alzarmi è entrato nella stanza un giovane medico che avevo visto altre volte durante le visite. Ha preso una sedia e si è seduto vicino al mio letto. «Dato che non ha parenti che possano **provvedere** e decidere per lei», ha detto, «le dovrò parlare senza **intermediari** e in modo sincero.» Parlava, e mentre parlava, più che ascoltarlo, lo guardavo. Aveva le labbra **strette** e, come sai, a me non sono mai piaciute le persone con le labbra strette. A sentire lui il mio stato di salute era così grave da non permettermi di tornare a casa. Mi ha fatto il nome di due o tre **pensionati** con assistenza **infermieristica** dove avrei potuto andare a vivere. Dall'espressione della mia faccia deve aver capito qualcosa perché subito ha **aggiunto**: «Non **si immagini** il vecchio **ospizio**, adesso è tutto diverso, ci sono stanze luminose e intorno grandi giardini dove poter passeggiare». «Dottore», gli ho detto io allora, «conosce gli **esquimesi**?» «Certo che li conosco», ha risposto **alzandosi**. «Ecco, vede, io voglio morire come loro», e **visto che** sembrava non capire, ho aggiunto: «preferisco cadere **a faccia in giù** tra le zucchine del mio **orto piuttosto che** vivere un anno ancora **inchiodata** a un letto, in una stanza dalle pareti bianche.» A quel punto lui era già sulla porta. **Sorrideva** in modo **cattivo**. «Tanti dicono così», ha detto prima di **scomparire**, «ma all'ultimo momento **corrono** tutti qua **a farsi curare** e **tremano come foglie.**»

Tre giorni dopo ho firmato un foglio **ridicolo** in cui dichiaravo che, **se per caso fossi morta**, la responsabilità sarebbe stata mia e soltanto mia. L'ho consegnato a una giovane infermiera con la testa piccola e due enormi **orecchini** d'oro e poi, con le mie poche cose **raccolte** in un sacchetto di plastica, **mi sono avviata** alla fermata dei taxi.

Appena Buck mi ha visto **comparire sul cancello** ha cominciato **a correre in tondo** come un pazzo; poi, per **ribadire** la sua felicità, ha **devastato** abbaiando due o tre **aiuole**. Per una volta non ho avuto cuore di **sgridarlo**. Quando mi è

13

grattato il retro delle orecchie   scratched behind the ears

incidente   accident

come una volta   as before

comandi   commands

soprattutto   especially

lentissima   very slow

Siccome   Since

mi fa rabbia   [it]makes me angry (*literally:* enrages me)

vinca lei   it [the left hand] wins

legata   tied

fiocchetto rosa   pink ribbon

polso   wrist

Finché   Until, As long as

non ci si rende conto   one doesn't realize/doesn't take notice

nemico   enemy

si cede   one gives in

volontà   the will

contrastarlo   resist it, go against it

perduti   lost [the battle]

In ogni caso   In any case

ridotta   diminished (*literally:* reduced)

Girando   Wandering around

mandarti   send you

centralino   telephone operator

poltrona   armchair

vuoto   emptiness

mi interrogavo   I questioned myself

avvisato   notified

interrotto   disrupted

soggiorno   stay

precipitata   come right away

magari   perhaps, let's imagine

sedia a rotelle   wheelchair

istupidita   in a state of senility/dementia

per dovere   out of [a sense of] duty

assistito   looked after, helped out (*literally:* assisted)

dedizione   devotion

astio   resentment

venuto vicino con il naso sporco di terra gli ho detto: «Hai visto, vecchio mio? Siamo di nuovo assieme», e gli ho **grattato il retro delle orecchie.**

Nei giorni seguenti ho fatto poco o niente. Dopo l'**incidente** la parte sinistra del corpo non risponde più **come una volta** ai miei **comandi.** La mano **soprattutto** è diventata **lentissima. Siccome mi fa rabbia** che **vinca lei,** faccio di tutto per usarla più dell'altra. Mi sono **legata** un **fiocchetto rosa** sul **polso,** così ogni volta che devo prendere una cosa mi ricordo di usare la sinistra invece della destra. **Finché** il corpo funziona **non ci si rende conto** di che grande **nemico** possa essere; se **si cede** nella **volontà** di **contrastarlo** anche per un solo istante, si è già **perduti.**

In ogni caso, vista la mia **ridotta** autonomia, ho dato una copia delle chiavi alla moglie di Walter. È lei che passa ogni giorno a trovarmi e mi porta tutto ciò di cui ho bisogno.

Girando tra la casa e il giardino il pensiero di te è diventato insistente, una vera ossessione. Più volte sono arrivata fino al telefono e l'ho sollevato con l'intenzione di **mandarti** un telegramma. Ogni volta però, appena rispondeva il **centralino,** decidevo di non farlo. La sera, seduta in **poltrona** – davanti a me il **vuoto** e intorno il silenzio – **mi interrogavo** su cosa fosse meglio. Su cosa fosse meglio per te, naturalmente, non per me. Per me certo sarebbe molto più bello andarmene con te accanto. Sono sicura che se ti avessi **avvisato** della mia malattia, tu avresti **interrotto** il tuo **soggiorno** in America e ti saresti **precipitata** qui. E poi? Poi **magari** io sarei vissuta ancora per tre, per quattro anni, magari in **sedia a rotelle,** magari **istupidita** e tu, **per dovere,** mi avresti **assistito.** Lo avresti fatto con **dedizione** ma, col tempo, quella dedizione si sarebbe trasformata in rabbia, in **astio.** Astio perché gli anni sarebbero

sprecato wasted

giovinezza youth

un vicolo cieco a blind alley

aveva ragione lei she [her inner voice] was right

compariva appeared

contraria opposite

mi chiedevo I asked myself, I wondered

festanti giving a warm welcome (*when said of animals:* jumping for joy)

disabitata uninhabited

non riesce a compiersi is not able to be fulfilled

raggiunto reached

laggiù *literally:* down there; *here:* over there

scomparsa passing away

una specie di a sort of

tradimento betrayal

dispetto a spiteful trick

sgarbata rude, ill-mannered

ti punivo I punished you

andandomene going away

avvisarti warning you

voragine chasm, abyss

sopravvivere survive

cosa del genere something like that

abbracciarla hug/embrace her

non prendevo I wasn't able to make/reach

suggerimento *here:* inspiration (*literally:* suggestion)

a tenerle compagnia to keep her company

quaderno notebook

a mordicchiare chewing on

in difficoltà having trouble

compiti homework

testamento will (as in "last will and testament")

Non proprio Not exactly

piuttosto rather

passati e avresti **sprecato** la tua **giovinezza**; perché il mio amore, con l'effetto di un boomerang, avrebbe costretto la tua vita in **un vicolo cieco**. Così diceva dentro di me la voce che non voleva telefonarti. Non appena decidevo che **aveva ragione lei**, subito **compariva** nella mia mente una voce **contraria**. Cosa ti sarebbe successo, **mi chiedevo**, se al momento di aprire la porta, invece di trovare me e Buck **festanti**, avessi trovato la casa vuota, **disabitata** da tempo? Esiste qualcosa di più terribile di un ritorno che **non riesce a compiersi**? Se ti avesse **raggiunto laggiù** un telegramma con la notizia della mia **scomparsa**, non avresti forse pensato a **una specie di tradimento**? A un **dispetto**? Visto che negli ultimi mesi eri stata molto **sgarbata** con me, io **ti punivo andandomene** senza **avvisarti**. Questo non sarebbe stato un boomerang ma una **voragine**, credo che sia quasi impossibile **sopravvivere** a una **cosa del genere**. Ciò che dovevi dire alla persona cara resta per sempre dentro di te; lei sta là, sotto terra, e non puoi più guardarla negli occhi, **abbracciarla**, dirle quello che non le avevi ancora detto.

I giorni passavano e **non prendevo** nessun tipo di decisione. Poi questa mattina, il **suggerimento** della rosa. Scrivile una lettera, un piccolo diario dei tuoi giorni che continui **a tenerle compagnia**. E così eccomi qua, in cucina, con un tuo vecchio **quaderno** davanti **a mordicchiare** la penna come un bambino **in difficoltà** con i **compiti**. Un **testamento**? **Non proprio**, **piuttosto** qualcosa che ti segua negli anni, qualcosa che potrai leggere ogni volta che sentirai il bisogno di avermi vicina.

Non temere Don't fret

pontificare pontificate, preach

né nor

rattristarti make you sad

chiacchierare chat

ci legava united us

pesano weigh, burden

l'assenza [their] absence

farti da madre be a mother to you

già in là negli anni already on in years

di solito usually

vantaggi advantages

nonna mamma...mamma mamma *a play on words:* a grandma for a mother is always more attentive and nicer than a birth mother

rimbecillirmi becoming senile

coetanee peers, other old women

canasta game of cards

allo Stabile civic/community theater

con prepotenza with force

trascinata dragged, carried away

flusso della vita current of life

si è rotto broke

colpa blame; *also:* guilt. This word is employed frequently in the story to mean one or the other, depending on context.

leggi di natura laws of nature

L'infanzia e la vecchiaia si assomigliano Childhood (or infancy) and old age are similar

In entrambi In both

inermi defenseless

partecipi part of, involved in

permette permits

sensibilità senza schemi sensitivity without an agenda

l'adolescenza adolescence

corazza protective shell/armor

a ispessirsi to grow thicker

Non temere, non voglio **pontificare né rattristarti**, soltanto **chiacchierare** un po' con l'intimità che **ci legava** una volta e che, negli ultimi anni, abbiamo perso. Per avere a lungo vissuto e aver lasciato dietro di me tante persone, so ormai che i morti **pesano** non tanto per **l'assenza**, quanto per ciò che – tra loro e noi – non è stato detto.

Vedi, io mi sono trovata a **farti da madre già in là negli anni**, nell'età in cui **di solito** si è soltanto nonni. Questo ha avuto molti **vantaggi**. Vantaggi per te, perché una **nonna mamma è sempre più attenta e più buona di una mamma mamma**, e vantaggi per me perché, invece di **rimbecillirmi** come le mie **coetanee** tra una **canasta** e una pomeridiana **allo Stabile, con prepotenza** sono stata nuovamente **trascinata** nel **flusso della vita**. A un certo punto, però, qualcosa **si è rotto**. La **colpa** non era né mia né tua ma soltanto delle **leggi di natura**.

L'infanzia e la vecchiaia si assomigliano. In entrambi i casi, per motivi diversi, si è piuttosto **inermi**, non si è ancora – o non si è più – **partecipi** della vita attiva e questo **permette** di vivere con una **sensibilità senza schemi**, aperta. È durante **l'adolescenza** che comincia a formarsi intorno al nostro corpo un'invisibile **corazza**. Si forma durante l'adolescenza e continua **a ispessirsi** per tutta l'età adulta. Il processo della sua crescita

somiglia is like
perle pearls
ferita wound, injury
si sviluppa that develops
inizia a logorarsi it starts wearing down
trama weave
ad un tratto all at once
brusco abrupt, sudden
si strappa it rips
In principio non ti accorgi di niente At first you don't notice
    a thing
convinta convinced
avvolga wraps
all'improvviso all of a sudden
è insorto un divario naturale arose a natural gap
intendo proprio questo I mean precisely this
a brandelli in shreds
non sopportavi you couldn't stand
durezza severity, hardness
Sebbene Even though, Although
carattere nature (*literally:* character)
sopportarlo put up with it, to bear it
come prenderla how to take her
raccogliere i pensieri collect my thoughts
succedendo happening
indenne unscathed
mi sbattevi la prima porta in faccia you slammed the first
    door in my face
tenerti testa stand up to you
piano piano very slowly, gradually
richiamare a sé keep for himself
sostanze nutritive nutritive substances
Azoto, clorofilla Nitrogen, chlorophyl
risucchiate dal tronco leached [from the leaves] into the
    trunk [of the tree]
sospesi lassù hanging up there

somiglia un po' a quello delle **perle**, più grande e profonda è la **ferita**, più è forte la corazza che **si sviluppa** intorno. Poi però con il passare del tempo, come un vestito portato troppo a lungo, nei punti di maggiore uso **inizia a logorarsi**, fa vedere la **trama**, **ad un tratto** per un movimento **brusco si strappa**. **In principio non ti accorgi di niente**, sei **convinta** che la corazza ti **avvolga** ancora interamente finché un giorno, **all'improvviso**, davanti a una cosa stupida senza sapere perché ti ritrovi a piangere come un bambino.

Così quando dico che tra me e te **è insorto un divario naturale, intendo proprio questo**. Nel tempo in cui la tua corazza ha cominciato a formarsi, la mia era già **a brandelli**. Tu **non sopportavi** le mie lacrime ed io non sopportavo la tua improvvisa **durezza**. **Sebbene** fossi preparata al fatto che avresti cambiato **carattere** con l'adolescenza, una volta avvenuto il cambiamento mi è stato molto difficile **sopportarlo**. All'improvviso c'era una persona nuova davanti a me e questa persona non sapevo più **come prenderla**. La sera, nel letto, al momento di **raccogliere i pensieri** ero felice di quanto ti stava **succedendo**. Mi dicevo, chi passa l'adolescenza **indenne** non diventerà mai una persona davvero grande. Alla mattina però, quando **mi sbattevi la prima porta in faccia**, che depressione, che voglia di piangere! L'energia necessaria per **tenerti testa** non riuscivo a trovarla da nessuna parte. Se mai arriverai a ottant'anni, capirai che a quest'età ci si sente come foglie alla fine di settembre. La luce del giorno dura meno e l'albero **piano piano** comincia a **richiamare a sé** le **sostanze nutritive**. **Azoto, clorofilla** e proteine vengono **risucchiate dal tronco** e con loro se ne va anche il verde, l'elasticità. Si sta ancora **sospesi lassù** ma si sa che è questione di poco. Una dopo l'altra

si levi il vento the wind starts up

litigiosa argumentative, quarrelsome

Te ne sei mai resa conto, tesoro? Didn't you ever notice, darling?

viene in mente comes to mind

accompagnassi accompany you

mica *very colloquial:* not at all

odiosamente obnoxiously

stridula shrill

Abbi cura di te Take care of yourself

sono rimasta I was left or remained

delusa disappointed

saluto goodbye

vecchia sentimentale quale sono an old sentimental person like me

più banale more banal

affettuosa affectionate

 a prendere sonno to fall asleep

mi aggiravo I roamed/wandered around

in vestaglia in [my] robe

accanto by my side

secchezza annoyance, curtness

insensibilità insensitivity

lacrime che non escono unshed tears

incrostano encrust

paralizzano paralyze

calcare calcium deposits

ingranaggi mechanism

lavatrice washing machine

sbuffare let out an exasperated snort

Rassegnati Get used to it! (*literally:* Resign yourself)

trae ispirazione draws inspiration

imploranti imploring

regolarità regularity

pappa food [for babies or animals]

cadono le foglie vicine, le guardi cadere, vivi nel terrore che **si levi il vento**. Per me il vento eri tu, la vitalità **litigiosa** della tua adolescenza. **Te ne sei mai resa conto, tesoro?** Abbiamo vissuto sullo stesso albero ma in stagioni così diverse.

Mi **viene in mente** il giorno della partenza, come eravamo nervose, eh? Tu non avevi voluto che ti **accompagnassi** all'aeroporto, e ad ogni cosa che ti ricordavo di prendere mi rispondevi: «Vado in America, **mica** nel deserto». Sulla porta, quando ti ho gridato con la mia voce **odiosamente stridula**: «**Abbi cura di te**», senza neanche voltarti mi hai salutata dicendo: «Abbi cura di Buck e della rosa».

Sul momento, sai, **sono rimasta** un po' **delusa** da questo tuo **saluto**. Da **vecchia sentimentale quale sono** mi aspettavo qualcosa di diverso e **più banale** come un bacio o una frase **affettuosa**. Soltanto la sera quando, non riuscendo **a prendere sonno, mi aggiravo in vestaglia** per la casa vuota, mi sono resa conto che curare Buck e la rosa voleva dire curare la parte di te che continua a vivermi **accanto**, la parte felice di te. E mi sono anche resa conto che nella **secchezza** di quell'ordine non c'era **insensibilità** ma la tensione estrema di una persona pronta a piangere. È la corazza di cui parlavo prima. Tu ce l'hai ancora così stretta che quasi non respiri. Ti ricordi cosa ti dicevo negli ultimi tempi? Le **lacrime che non escono** si depositano sul cuore, con il tempo lo **incrostano** e lo **paralizzano** come il **calcare** incrosta e paralizza gli **ingranaggi** della **lavatrice**.

Lo so, i miei esempi tratti dall'universo della cucina invece di farti ridere ti fanno **sbuffare**. **Rassegnati**: ognuno **trae ispirazione** dal mondo che conosce meglio.

Ora devo lasciarti. Buck sospira e mi guarda con occhi **imploranti**. Anche in lui si manifesta la **regolarità** della natura. In tutte le stagioni, conosce l'ora della **pappa** con la precisione di un orologio svizzero.

è caduta una forte pioggia   it rained torrentially

più volte   several times

mi sono svegliata   I awoke

battendo sulle imposte   beating on the shutters

convinta   convinced

crogiolata   curled up

ghiro   dormouse

alba   dawn

interminabili   interminable, endless

crudeltà   cruelty

distrarsi   distract, amuse oneself

indietro   back [in time]

per lo più   moreover

tristi   sad

malinconici   melancholic

stranezza   strangeness

riflettere   reflect

gerarchia   hierarchy

cinciallegre, piccioni, scoiattoli   great tits, pigeons, squirrels

distese   stretched out

prede   prey

veri e propri   *an idiomatic expression:* truly real (*literally:* real and proper)

apparizioni   apparitions

l'attività onirica   the dream state

sopravvivenza   survival

caccia   hunts

elaborare   work out (as in a strategy)

procurarsi il cibo   procure food for themselves

cacciato   hunted

Questa notte **è caduta una forte pioggia**. Era così violenta che **più volte mi sono svegliata** per il rumore che faceva **battendo sulle imposte**. Stamattina, quando ho aperto gli occhi **convinta** che il tempo fosse ancora brutto, mi sono **crogiolata** a lungo tra le coperte. Come cambiano le cose con gli anni! Alla tua età ero una specie di **ghiro**, se nessuno mi disturbava potevo dormire anche fino all'ora di pranzo. Adesso invece, prima dell'**alba** sono sempre sveglia. Così le giornate diventano lunghissime, **interminabili**. C'è della **crudeltà** in tutto questo, no? Le ore del mattino poi sono le più terribili, non c'è niente che aiuti a **distrarsi**, stai lì e sai che i tuoi pensieri possono andare soltanto **indietro**. I pensieri di un vecchio non hanno futuro, sono **per lo più tristi**, se non tristi, **malinconici**. Mi sono spesso interrogata su questa **stranezza** della natura. L'altro giorno alla televisione ho visto un documentario che mi ha fatto **riflettere**. Parlava dei sogni degli animali. Nella **gerarchia** zoologica, dagli uccelli in su, tutti gli animali sognano molto. Sognano le **cinciallegre** e i **piccioni**, gli **scoiattoli** e i conigli, i cani e le mucche **distese** sul prato. Sognano, ma non tutti allo stesso modo. Gli animali che per natura sono soprattutto **prede** fanno dei sogni brevi, più che sogni **veri e propri** sono **apparizioni**. I predatori fanno invece sogni complicati e lunghi. «Per gli animali», diceva lo speaker, «**l'attività onirica** è un modo per organizzare le strategie di **sopravvivenza**, chi **caccia** deve **elaborare** forme sempre nuove per **procurarsi il cibo**, chi è **cacciato** – e il cibo di solito se lo trova davanti in forma di erba – deve pensare soltanto al modo più veloce

fuggire escape
variato varied

l'umore the mood
pianti crying fits
scendevano ran down
guance [your] cheeks
sconsolata disconsolate, dejected
rabbiosa irritable
da mettere a posto get [it] together, put in order
dentro di sé inside oneself
progetti plans
insicurezze insecurities
incosciente unconscious
rimasugli del giorno remains of the day
gonfiati swollen
deformi deformed
mescola it mixes
infila inserts, slips in
i bisogni del corpo the body's needs
riuscire a to be able to, to succeed at
è subito underwent, experienced
sgarbo rudeness, impoliteness
guerrieri assetati di sangue bloodthirsty warriors
magari perhaps
pellerossa redskin (*i.e.,* a native American)
sotto spoglie disguised as
Hai nostalgia Are you homesick
ritmico rhythmic
batteva al suolo la coda thumping the floor with his tail
ti stava facendo le feste he was giving you a warm welcome
    (*literally:* he was giving you a party)
permeabili permeable, absorbent
dalla notte dei tempi in the mists of time
uguali the same, one and the same
li detestano detest them

di **fuggire**.» L'antilope insomma, dormendo vede davanti a sé la savana aperta; il leone invece, in un continuo e **variato** ripetersi di scene, vede tutte le cose che dovrà fare per riuscire a mangiare l'antilope. Deve essere così, mi sono detta allora, da giovani si è carnivori e da vecchi erbivori. Perché quando si è vecchi oltre a dormire poco, non si fanno sogni, o se si fanno forse non ne resta il ricordo. Da bambini e da giovani invece si sogna di più e i sogni hanno il potere di determinare **l'umore** del giorno. Ti ricordi i **pianti** che facevi appena sveglia negli ultimi mesi? Stavi lì seduta davanti alla tazza di caffè e le lacrime ti **scendevano** silenziose lungo le **guance**. «Perché piangi?» ti chiedevo allora, e tu **sconsolata** o **rabbiosa** dicevi: «Non lo so». Alla tua età ci sono tante cose **da mettere a posto dentro di sé**, ci sono **progetti** e nei progetti **insicurezze**. La parte **incosciente** non ha un ordine o una logica chiara, assieme ai **rimasugli del giorno**, **gonfiati** e **deformi**, **mescola** le aspirazioni più profonde, tra le aspirazioni profonde **infila i bisogni del corpo**. Così, se si ha fame si sogna di trovarsi seduti a tavola e non **riuscire a** mangiare, se si ha freddo di essere al Polo Nord e non avere il cappotto, se si **è subito** uno **sgarbo** si diventa **guerrieri assetati di sangue**.

Che sogni stai facendo laggiù tra i cactus e i cowboy? Mi piacerebbe saperlo. Chissà se ogni tanto là in mezzo, **magari** vestita da **pellerossa** compaio anch'io? Chissà se **sotto spoglie** di coyote compare Buck? **Hai nostalgia?** Ci pensi?

Ieri sera, sai, mentre leggevo seduta in poltrona, all'improvviso ho sentito nella stanza un rumore **ritmico**, alzata la testa dal libro ho visto Buck che dormendo **batteva al suolo la coda**. Dall'espressione beata del muso sono sicura che ti vedeva davanti, forse eri appena tornata e **ti stava facendo le feste** oppure ricordava qualche passeggiata particolarmente bella che avete fatto assieme. I cani sono così **permeabili** ai sentimenti umani, con la convivenza **dalla notte dei tempi** siamo diventati quasi **uguali**. Per questo tante persone **li detestano**. Vedono

riflesse reflected

vile humble

non riesco I'm unable

rimasta vedova widowed

spiritismo spiritualism

angoli più bui e nascosti dark and secret reaches/hideaways

mi istruiva taught me

poteri straordinari della mente extraordinary powers of the mind

stringere in mano to hold onto tightly

fare una croce composta di tre passi *in effect:* draw an asterix; *literally:* mark/form an 'X' comprising three strokes

eccomi here I am

ottenere obtain, have

circa le cinque around 5 o'clock

ho scorta I got a glimpse [in her imagination]

piastrelle ceramic tiles

polpetta meatloaf

distinta saw, recognized

tra quella folla in that crowd (cf. *tra la folla* = in the crowd)

avevi indosso you were wearing

maglione sweater

cervi deer

smaccatamente cloyingly, sickeningly sweet

telefilm TV series

sta a cuore dear to me

discussioni arguments

finanziassi financed

soggiorno sojourn, stay

all'estero abroad

sostenevi insisted, maintained (*literally:* sustained)

asfittico asphyxiating

liceo high school

brancolavi nel buio you groped in the dark

fare da grande to be when [you] grew up

traccia trace

apertura iniziale initial opening

manifestato shown, demonstrated

troppe cose di sé **riflesse** nel loro sguardo teneramente **vile**, cose che preferirebbero ignorare. Buck ti sogna spesso in questo periodo. Io **non riesco** a farlo o forse lo faccio ma non riesco a ricordarlo.

Quand'ero piccola, aveva vissuto per un periodo a casa nostra una sorella di mio padre, **rimasta vedova** da poco. Aveva la passione dello **spiritismo** e appena i miei genitori non ci vedevano, negli **angoli più bui e nascosti mi istruiva** sui **poteri straordinari della mente**. «Se vuoi entrare in contatto con una persona lontana», mi diceva, «devi **stringere in mano** una sua foto, **fare una croce composta di tre passi** e poi dire, **eccomi**, sono qui.» In quel modo, secondo lei, avrei potuto **ottenere** la comunicazione telepatica con la persona desiderata.

Questo pomeriggio, prima di mettermi a scrivere, ho fatto proprio così. Erano **circa le cinque**, da te doveva essere mattina. Mi hai vista? Sentita? Io ti **ho scorta** in uno di quei bar pieni di luci e **piastrelle** dove si mangiano panini con dentro la **polpetta**, ti ho **distinta** subito **tra quella folla** multicolore perché **avevi indosso** l'ultimo **maglione** che ti ho fatto, quello con i **cervi** rossi e blu. L'immagine però è stata così breve e così **smaccatamente** simile a quelle dei **telefilm** che non ho fatto in tempo a vedere l'espressione dei tuoi occhi. Sei felice? È questo più di ogni altra cosa che mi **sta a cuore**.

Ti ricordi quante **discussioni** abbiamo fatto per decidere se fosse giusto o meno che io **finanziassi** questo tuo lungo **soggiorno** di studio **all'estero**? Tu **sostenevi** che ti era assolutamente necessario, che per crescere e aprire la mente avevi bisogno di andartene, lasciare l'ambiente **asfittico** in cui eri cresciuta. Avevi appena finito il **liceo** e **brancolavi nel buio** più totale su quello che avresti voluto **fare da grande**. Da piccola avevi tante passioni: volevi diventare veterinario, esploratore, medico dei bambini poveri. Di questi desideri non era rimasta la minima **traccia**. L'**apertura iniziale** che avevi **manifestato**

simili equals, peers

chiudendo closing up

comunione communion [with a group]

cinismo cynicism

ossessiva obsessive

capitava di vedere [you] happened to see

cruda crude, harsh

irridevi mocked, laughed at

ti meravigli surprises/amazes you

selezione della specie natural selection (*literally:* species selection)

senza fiato breathless, completely taken aback

mostro monster

con la coda dell'occhio out of the corner of the eye

venuta fuori came from

qualsiasi cosa anything, whatever

scontro clash

Da un lato...dall'altro On the one hand (*literally:* side)...on the other [hand]

avevo paura I was afraid

fragilità frailness

inutile useless, pointless

perdita di forze waste of energy

intuivo I realized (*literally:* I intuited)

percepivo I perceived

ribollire seething

trattenuta a stento barely contained

smussare soften, smooth down

asperità roughness

finta fake

minacciato threatened

andartene go away

senza dare più notizie without a word

disperazione desperation

suppliche umili humble pleading

ottima excellent

traballare waver

di scatto suddenly, with a start

fauci jaws

verso i tuoi **simili** con gli anni si è andata **chiudendo**; tutto quello che era filantropia, desiderio di **comunione**, in un tempo brevissimo è diventato **cinismo**, solitudine, concentrazione **ossessiva** sul tuo destino infelice. Se alla televisione **capitava di vedere** qualche notizia particolarmente **cruda, irridevi** la compassione delle mie parole dicendo: «Alla tua età di cosa **ti meravigli?** Non sai ancora che è la **selezione della specie** a governare il mondo?».

Le prime volte davanti a questo tipo di osservazioni restavo **senza fiato**, mi sembrava di avere un **mostro** accanto a me; osservandoti **con la coda dell'occhio** mi chiedevo da dove fossi **venuta fuori**, se era questo, con il mio esempio, che ti avevo insegnato. Non ti ho mai risposto però intuivo che il tempo del dialogo era finito, **qualsiasi cosa** avessi detto ci sarebbe stato soltanto uno **scontro. Da un lato avevo paura** della mia **fragilità**, dell'**inutile perdita di forze, dall'altro intuivo** che lo scontro aperto era proprio ciò che cercavi, che dopo il primo ce ne sarebbero stati altri, sempre di più, sempre più violenti. Sotto le tue parole **percepivo ribollire** l'energia, un'energia arrogante, pronta a esplodere e **trattenuta a stento**; il mio **smussare** le **asperità**, la **finta** indifferenza agli attacchi ti hanno costretta a cercare altre strade.

Allora mi hai **minacciato** di **andartene**, di sparire dalla mia vita **senza dare più notizie**. Ti aspettavi forse la **disperazione**, le **suppliche umili** di una vecchia. Quando ti ho detto che partire sarebbe stata un'**ottima** idea hai cominciato a **traballare**, sembravi un serpente che, alzata la testa **di scatto** con le **fauci**

pronto a colpire   ready to strike

a un tratto   all of a sudden

scagliarsi   hurl at

patteggiare   negotiate the terms, compromise

a fare proposte   to make offers, suggestions

sicurezza   self-assuredness

accolto   accepted

gentile interessamento   polite interest

approvazione   approval

spingerti   push/compel you

a fare scelte affrettate   to make rash decisions/choices

fino in fondo   all the way

almeno   at least

Ti irritavi   You got irritated

grave   grave, serious

una corsa   a race

tiro al bersaglio   test of skill (*literally:* target practice)

risparmio di tempo   time savings

spazzandole   sweeping away [abruptly]

scoppiata a piangere   broke into tears

sepolto una mina   buried a landmine

montarci sopra   walk over it (*literally:* get on top)

fingendo   pretending

da temere   to fear

deflagrata   exploded

singhiozzavi   sobbed

fare degli sforzi   make a great effort

smarrimento   bewilderment

tacessi   kept quiet, held my tongue

non esistesse   didn't even exist

non tieni conto   you don't even grasp

lo covi dentro   it smolders inside [you]

spiegarmi   understand (*literally:* explain to myself)

sguardi   looks

cariche di odio   filled with hate

vuoto   emptiness

invece   instead, on the other hand

aperte e **pronto a colpire**, **a un tratto** non vede più davanti a sé la cosa contro cui **scagliarsi**. Allora hai cominciato a **patteggiare**, **a fare proposte**, ne hai fatte di diverse e incerte fino al giorno in cui, con una nuova **sicurezza**, davanti al caffè mi hai annunciato: «Vado in America».

Ho **accolto** questa decisione come le altre, con un **gentile interessamento**. Non volevo, con la mia **approvazione**, **spingerti a fare scelte affrettate**, che non sentivi **fino in fondo**. Nelle settimane seguenti hai continuato a parlarmi dell'idea dell'America. «Se vado un anno là», ripetevi con ossessione, «**almeno** imparo una lingua e non perdo tempo.» Ti **irritavi** in modo terribile quando ti facevo notare che perdere tempo non è per niente **grave**. Il massimo dell'irritazione però l'hai raggiunto nel momento in cui ti ho detto che la vita non è **una corsa** ma un **tiro al bersaglio**: non è il **risparmio di tempo** che conta, bensì la capacità di trovare un centro. C'erano due tazze sul tavolo che subito hai fatto volare **spazzandole** con un braccio, poi sei **scoppiata a piangere**. «Sei stupida», dicevi, nascondendo con le mani il volto. «Sei stupida. Non capisci che è proprio quello che voglio?» Per settimane eravamo state come due soldati che dopo aver **sepolto una mina** in un campo stanno attenti a non **montarci sopra**. Sapevamo dov'era, cos'era e camminavamo distanti, **fingendo** che la cosa **da temere** fosse un'altra. Quando è **deflagrata** e tu **singhiozzavi** dicendomi non capisci niente, non capirai mai niente, ho dovuto **fare degli sforzi** grossissimi per non farti intuire il mio **smarrimento**. Tua madre, il modo in cui ti ha concepito, la sua morte, di tutto questo non ti ho mai parlato e il fatto che ne **tacessi** ti ha portata a credere che per me la cosa **non esistesse**, che fosse poco importante. Ma tua madre era mia figlia, di questo forse **non tieni conto**. O forse ne tieni conto, ma invece di dirlo, **lo covi dentro**, altrimenti non posso **spiegarmi** certi tuoi **sguardi**, certe parole **cariche di odio**. Di lei, a parte il **vuoto**, tu non hai altri ricordi: eri ancora troppo piccola il giorno che è morta. Io, **invece**, nella

conservo I keep, maintain
portata in grembo carried in [my] womb
affrontare facing, dealing with
pudore sense of modesty
colpe blame, fault
presunte presumed
mancanza shortage, lack of
impedirti prevent/stop you
Finché Until, For as long as
gioia joy
scontato discounted, taken for granted
in agguato lying in ambush
l'ombra the shadow
risate laughter
facilità sorprendente surprising ease
merenda snack, snack time
orgogliosa proud
sensibilità sensitivity
somigliava resembled
teneramente tenderly
complice close to you [like an accomplice]
Mi illudevo I was deluding myself
esseri beings
sospesi suspended, hanging
bolle di sapone soap bubbles
vaganti meandering, floating about
intrappola entraps
rete net
preda prey
bisnonni great-grandparents
bisnipoti great-grandchildren
verità truths
impongono impose
senso del tremendo feeling of dread
appartiene belongs to
Caino [the Old Testament] Cain

mia memoria **conservo** trentatré anni di ricordi, trentatré più i nove mesi che l'ho **portata in grembo**.

Come puoi pensare che la questione mi lasci indifferente?

Nel non **affrontare** prima l'argomento, da parte mia c'era soltanto **pudore** e una buona dose di egoismo. Pudore perché era inevitabile che parlando di lei avrei dovuto parlare di me, delle mie **colpe** vere o **presunte**; egoismo perché speravo che il mio amore sarebbe stato così grande da coprire la **mancanza** del suo, da **impedirti** un giorno di avere nostalgia di lei e di domandarmi: «Chi era mia madre, perché è morta?».

Finché eri bambina, assieme eravamo felici. Eri una bambina piena di **gioia** ma nella tua gioia non c'era nulla di superficiale, di **scontato**. Era una gioia su cui stava sempre **in agguato l'ombra** della riflessione, dalle **risate** passavi al silenzio con una **facilità sorprendente**. «Cosa c'è, cosa pensi?» ti chiedevo allora e tu, come se parlassi della **merenda**, mi rispondevi: «Penso se il cielo finisce o va avanti per sempre». Ero **orgogliosa** del tuo essere così, la tua **sensibilità somigliava** alla mia, non mi sentivo grande o distante ma **teneramente complice**. **Mi illudevo**, volevo illudermi che così sarebbe stato per sempre. Ma purtroppo non siamo **esseri sospesi** in **bolle di sapone**, **vaganti** felici per l'aria; c'è un prima e un dopo nelle nostre vite e questo prima e dopo **intrappola** i nostri destini, si posa su di noi come una **rete** sulla **preda**. Si dice che le colpe dei padri cadano sui figli. È vero, verissimo, le colpe dei padri cadono sui figli, quelle dei nonni sui nipoti, quelle dei **bisnonni** sui **bisnipoti**. Ci sono **verità** che portano in sé un senso di liberazione e altre che **impongono** il **senso del tremendo**. Questa **appartiene** alla seconda categoria. Dove finisce la catena delle colpe? A **Caino**? Possibile che tutto debba andare

qualcosa dietro hidden meaning (*literally:* something behind)

fato fate

lo sforzo della volontà willpower

pretesto pretext

Già Already

più in là further on

forgiare to forge

sono tornata al punto di partenza I'm back where I started
from

bandolo key to the problem (*i.e.*, solution)

filo thread, wire

si dipana gets wound up

tagliare cut it

ci avvolge wrap us up in it

capacità ability (*literally:* capacity)

sostenere uno sforzo prolungato sustain a prolonged effort

la testa mi gira I'm dizzy

da giovane as a young [girl]

immanenza immanence

provavo I felt

stordimento dazeness

corriera long-distance bus

amata odiata beloved and hated

scatoletta "box," in the British sense; *i.e.*, television set

salotto living room, the most formal room of a house, where
visitors are received.

così lontano? C'è **qualcosa dietro** tutto questo? Una volta, in un libro indiano ho letto che il **fato** possiede tutto il potere mentre **lo sforzo della volontà** è solo un **pretesto**. Dopo averlo letto una gran pace mi è scesa dentro. **Già** il giorno dopo però, poche pagine **più in là**, ho trovato scritto che il fato non è altro che il risultato delle azioni passate, siamo noi, con le nostre mani, a **forgiare** il nostro stesso destino. Così **sono tornata al punto di partenza**. Dov'è il **bandolo** di tutto questo, mi sono chiesta. Qual è il **filo** che **si dipana**? È un filo o una catena? Si può **tagliare**, rompere oppure **ci avvolge** per sempre?

Intanto taglio io. La mia testa non è più quella di una volta, le idee ci sono sempre, certo, non è cambiato il modo di pensare ma la **capacità** di **sostenere uno sforzo prolungato**. Adesso sono stanca, **la testa mi gira** come quando **da giovane** cercavo di leggere un libro di filosofia. Essere, non essere, **immanenza**... dopo poche pagine **provavo** lo stesso **stordimento** che si prova viaggiando su una **corriera** per strade di montagna. Per il momento ti lascio, vado un po' a istupidirmi davanti a quella **amata odiata scatoletta** che sta in **salotto**.

incontro   encounter, meeting

O meglio   Or rather

neppure   not even

inquieta   restless

mite   mild

panchina   bench

forsizia   forsythia

aiuole   flower beds

la lite per   the quarrel over

Quand'è stata?   When was it?

bronchite   bronchitis

stentava ad andarsene   I couldn't shake (*literally:* it was going away with difficulty)

vorticavano   they were whirling about

Affacciandomi alla finestra   Looking out the window

tristezza   sadness

cupo   dark, overcast

Ti ho raggiunta   I caught up with you, I found you

distesa   stretched out

cuffie   headphones

rastrellare   rake

alzato le spalle   shrugged your shoulders

E perché mai?   Why bother?

raccoglie   picks them up

marcire   to rot

alleata   ally

incrollabili leggi   immutable laws

addomesticata   tamed

somiglia   looks like, resembles

padrone   owner

mi sono ritirata   I retired

aggiungere altro   adding another [word]

mi sei passata davanti   you passed by me

non ci hai fatto caso   you didn't even notice

sei sbucata   you came out

20 novembre

Di nuovo qui, terzo giorno del nostro **incontro**. **O meglio**, quarto giorno e terzo incontro. Ieri ero così stanca che non sono riuscita a scrivere niente e **neppure** a leggere. Essendo **inquieta** e non sapendo cosa fare ho girato tutto il giorno tra la casa e il giardino. L'aria era abbastanza **mite** e nelle ore più calde mi sono seduta sulla **panchina** accanto alla **forsizia**. Intorno a me il prato e le **aiuole** erano nel più completo disordine. Guardandole mi è venuta in mente **la lite per** le foglie cadute. **Quand'è stata?** L'anno scorso? Due anni fa? Avevo avuto una **bronchite** che **stentava ad andarsene**, le foglie erano già tutte sull'erba, **vorticavano** di qua e di là trasportate dal vento. **Affacciandomi alla finestra** mi era venuta una grande **tristezza**, il cielo era **cupo**, c'era una gran aria di abbandono fuori. **Ti ho raggiunta** in camera, stavi **distesa** sul letto con le **cuffie** attaccate alle orecchie. Ti ho chiesto per favore di **rastrellare** le foglie. Per farmi sentire ho dovuto ripetere la frase diverse volte con voce sempre più forte. Hai **alzato le spalle** dicendo: «**E perché mai?** In natura nessuno le **raccoglie**, stanno lì a **marcire** e va bene così». La natura a quel tempo era la tua grande **alleata**, riuscivi a giustificare ogni cosa con le sue **incrollabili leggi**. Invece di spiegarti che un giardino è una natura **addomesticata**, una natura-cane che ogni anno **somiglia** di più al suo **padrone** e che proprio come un cane ha bisogno di continue attenzioni, **mi sono ritirata** in salotto senza **aggiungere altro**. Poco dopo, quando **mi sei passata davanti** per andare a mangiare qualcosa dal frigo hai visto che piangevo ma **non ci hai fatto caso**. Solo all'ora di cena quando **sei sbucata**

39

ti sei accorta you noticed

armeggiare ai fornelli mess with the burners

gridavi da stanza a stanza called from one room to another

un budino di cioccolato a chocolate pudding

frittata omelet

dolore pain, sadness

carina nice, cutesy

farmi in qualche modo piacere please me somehow, make
   me happy somehow

aperti gli scuri opened the shutters

avevi indosso you were wearing

cerata an oilskin jacket (a type of raincoat)

fatto finta di niente acted as if it were nothing

detestavi hated (*literally:* detested)

desolata distressed, woebegone

trasandatezza neglect

scivolata slipped

malattia illness

eppure and yet, although

è nata in me arose in me (*literally:* was born in me)

gelosia feeling of possessiveness (*literally:* jealousy)

rinuncerei per nulla al mondo I wouldn't give it up (*literally:*
   renounce it) for anything in the world

a innaffiare watering

ramo branch

mi seccava it annoyed/bugged me

infatti in fact

allentassi relaxing, loosening up

faticosamente laboriously, with great effort

raggiunto achieved

si inserisse...disordine up came/popped disorder

mi dava fastidio bothered me

un centro a center, emotional/spiritual equilibrium

all'esterno outside (in this case, both literally outside, and
   externally from one's own self)

Avrei dovuto I should have

un'altra volta dalla stanza e hai detto «cosa si mangia?» **ti sei accorta** che ero ancora lì e ancora stavo piangendo. Allora sei andata in cucina e hai cominciato ad **armeggiare ai fornelli.** «Cosa preferisci», **gridavi da stanza a stanza,** «**un budino di cioccolato** o della **frittata?**» Avevi capito che il mio **dolore** era vero e cercavi di essere **carina,** di **farmi in qualche modo piacere.** La mattina dopo appena **aperti gli scuri** ti ho vista sul prato, pioveva forte, **avevi indosso** la **cerata** gialla e rastrellavi le foglie. Quando verso le nove sei tornata dentro ho **fatto finta di niente,** sapevo che più di ogni altra cosa **detestavi** quella parte di te che ti portava a essere buona.

Stamattina guardando **desolata** le aiuole del giardino, ho pensato che dovrei chiamare proprio qualcuno per eliminare la **trasandatezza** in cui sono **scivolata** durante e dopo la **malattia.** Lo penso da quando sono uscita dall'ospedale **eppure** non mi risolvo mai a farlo. Con gli anni **è nata in me** una grande **gelosia** per il giardino, non **rinuncerei per nulla al mondo a innaffiare** le dalie, a togliere da un **ramo** una foglia morta. È strano perché da giovane **mi seccava** molto occuparmi della sua cura: avere un giardino, più che un privilegio, mi sembrava una seccatura. Era sufficiente **infatti** che **allentassi** l'attenzione per un giorno o due perché subito, su quell'ordine così **faticosamente raggiunto, si inserisse** un'altra volta il **disordine** e il disordine più di ogni altra cosa **mi dava fastidio.** Non avevo **un centro** dentro di me, di conseguenza non sopportavo di vedere **all'esterno** ciò che avevo al mio interno. **Avrei dovuto** ricordarmelo quando ti ho chiesto di rastrellare le foglie!

comprendere understand

a una certa età once all grown up, in old age

tutto ciò everything that

improvvisamente suddenly

ti appartengono they're a part of you

conchiglia shell

mollusco mollusk

secrezioni secretions

incisa carved

volute spirals

casa-guscio shell home

non avevo voglia di I didn't feel like

neanche not even

mi sono assopita I got drowsy, I dozed off

a tratti in bits (as in "every other word")

si scivola one slips into

dormiveglia light sleep, half asleep

ci giungono reach us

Trasmettevano They were transmitting

inchiesta in-depth report

sette sects

santoni holy men, gurus

giunto fino alle mie orecchie got my attention (*literally:* reached my ears)

Arthur Schopenhauer (1788 –1860) German philosopher. His ideas of "will" and "desire" echo Hindu teachings.

non avevo prestato molta attenzione I didn't pay much attention

esprimeva it meant

entrate da un orecchio e uscite dall'altro went in one ear and out the other

in sottofondo in the background

legge del taglione the law of retaliation (*i.e.,* eye for an eye, tooth for a tooth)

chi la fa, l'aspetti he who dishes it out will get it back

asilo nursery school

comportamenti behaviors

42

Ci sono cose che si possono **comprendere a una certa età** e non prima: tra queste il rapporto con la casa, con **tutto ciò** che ci sta dentro e intorno. A sessanta, a settant'anni **improvvisamente** capisci che il giardino e la casa non sono più un giardino e una casa dove vivi per comodità o per caso o per bellezza, ma sono il tuo giardino e la tua casa, **ti appartengono** come la **conchiglia** appartiene al **mollusco** che ci vive dentro. Hai formato la conchiglia con le tue **secrezioni, incisa** nelle sue **volute** c'è la tua storia, la **casa-guscio** ti avvolge, ti sta sopra, intorno, forse neanche la morte la libererà dalla tua presenza, dalle gioie e dalle sofferenze che hai provato al suo interno.

Ieri sera **non avevo voglia di** leggere, così ho guardato la televisione. Più che guardarla, a dire il vero, l'ho ascoltata perché dopo **neanche** mezz'ora di programma **mi sono assopita**. Sentivo le parole **a tratti**, un po' come quando in treno **si scivola** nel **dormiveglia** e i discorsi degli altri viaggiatori **ci giungono** intermittenti e privi di senso. **Trasmettevano** un'**inchiesta** giornalistica sulle **sette** di fine millennio. C'erano diverse interviste a **santoni** veri e finti e dal loro fiume di parole più volte il termine karma è **giunto fino alle mie orecchie**. Appena l'ho sentito mi è tornato in mente il volto del mio professore di filosofia del liceo.

Era giovane e per quei tempi molto anticonformista. Spiegando **Schopenhauer** ci aveva parlato un po' delle filosofie orientali e parlando di queste ci aveva introdotto al concetto di karma. Quella volta **non avevo prestato molta attenzione** alla cosa, la parola e ciò che **esprimeva** mi erano **entrate da un orecchio e uscite dall'altro**. Per tanti anni **in sottofondo** mi è rimasta la sensazione che fosse una specie di **legge del taglione**, qualcosa del tipo occhio per occhio, dente per dente o **chi la fa, l'aspetti**. Soltanto quando la direttrice dell'**asilo** mi chiamò per parlarmi dei tuoi strani **comportamenti**, il

legato   attached

messo in subbuglio   thrown into turmoil/a tizzy

scuola materna   nursery school

Di punto in bianco   Out of the blue

minimizzare   not give it any weight, let it go (*literally:* to minimize)

farti cadere in contraddizione   trick you into contradicting yourself

persino   even

si ripeté   (*passato remoto*) repeated itself

convocata   summoned

consigliarono   (*passato remoto*) they advised

evadere   avoid, evade

propensa   inclined

imputare   attribute

disagio   distress, discomfort

spinto   pushed

parlarmene   talk to me about it

ti sei scordata   you forgot all about it

esterrefatte   astounded, astonished

di moda   in fashion, fashionable

pochi eletti   a select few

sulla bocca di tutti   on everyone's lips

autocoscienza   self-awareness

si riunisce   get together

casalinga   housewife

fedele   faithful

benzinaio razzista   a racist gas-station attendant

divorato   devoured

bantù   an African tribe

spedizione   expedition

stupidaggini   idiocies

radici   roots

rattoppare   to patch up

grigiore e l'incertezza   grayness (or dullness) and uncertainty

ben diverso   totally different

karma – e ciò che a lui è **legato** – mi tornò in mente. Avevi **messo in subbuglio** l'intera **scuola materna**. **Di punto in bianco**, durante l'ora dedicata ai racconti liberi, ti eri messa a parlare della tua precedente vita. Le maestre, in un primo momento, avevano pensato a un'eccentricità infantile. Davanti alla tua storia avevano cercato di **minimizzare**, di **farti cadere in contraddizione**. Ma tu non c'eri caduta per niente, avevi detto **persino** parole in una lingua che non era nota a nessuno. Quando il fatto **si ripeté** per la terza volta fui **convocata** dalla direttrice dell'istituto. Per il bene tuo e del tuo futuro, mi **consigliarono** di farti seguire da uno psicologo. «Con il trauma che ha avuto», diceva, «è normale che si comporti così, che cerchi di **evadere** la realtà.» Naturalmente dallo psicologo non ti ho mai portata, mi sembravi una bambina felice, ero più **propensa** a credere che quella tua fantasia non fosse da **imputare** a un **disagio** presente ma a un ordine diverso delle cose. Dopo il fatto non ti ho mai **spinto** a **parlarmene**, né tu, di tua iniziativa, hai sentito il bisogno di farlo. Forse **ti sei scordata** tutto il giorno stesso in cui l'hai detto davanti alle maestre **esterrefatte**.

Ho la sensazione che negli ultimi anni sia diventato molto **di moda** parlare di queste cose: una volta questi erano argomenti per **pochi eletti**, adesso invece sono **sulla bocca di tutti**. Tempo fa, su un giornale, ho letto che in America esistono persino dei gruppi di **autocoscienza** sulla reincarnazione. La gente **si riunisce** e parla delle esistenze precedenti. Così la **casalinga** dice: «Nell'Ottocento a New Orleans ero una donna di strada per questo adesso non riesco a essere **fedele** a mio marito», mentre il **benzinaio razzista** trova ragione del suo odio nel fatto di essere stato **divorato** dai **bantù** durante una **spedizione** nel XVI secolo. Che tristi **stupidaggini**! Perdute le **radici** della propria cultura si cerca di **rattoppare** con le esistenze passate il **grigiore e l'incertezza** del presente. Se il ciclo delle vite ha un senso, credo, è certo un senso **ben diverso**.

procurata got (*literally:* procured)

saggi essays

anteriore prior, previous

precocemente prematurely

timore fear

propendere be inclined towards

nell'abbandono del sonno lost in deep sleep

irragionevoli irrational

a spaventarti *here:* scaring you

streghe witches

lupi mannari werewolves

attraversato traversed

deflagrazione explosion

comparivi you appeared

terrorizzata terrified

ti riaccompagnavo I accompanied you

tenendomi la mano holding my hand

ti raccontassi told you a story

inquietante disturbing, worrying

per filo e per segno word for word

non facevo altro I did nothing but

pedissequamente following to the letter

fiaba fable, fairy tale

convinta convinced

flebile plaintive, feeble

sulla fronte on the forehead

tesoro dearest (*literally:* treasure)

te lo giuro I swear to you

contraria contrary, against

non avevo coraggio I couldn't summon up the courage

comodino nightstand

sotto controllo under control

pure right (as in "go right ahead")

scivolare fall into

profondo deep

respiro breathing

Al tempo dei fatti dell'asilo mi ero **procurata** dei libri, per capirti meglio avevo cercato di saperne qualcosa di più. Proprio in uno di quei **saggi** c'era scritto che i bambini che ricordano con precisione la loro vita **anteriore** sono quelli morti **precocemente** e in modo violento. Certe ossessioni inspiegabili alla luce delle tue esperienze di bambina – il gas che usciva dai tubi, il **timore** che tutto da un momento all'altro potesse esplodere – mi facevano **propendere** per questo tipo di spiegazione. Quand'eri stanca o in ansia o **nell'abbandono del sonno** venivi presa da terrori **irragionevoli**. Non era l'uomo nero **a spaventarti** né le **streghe** né i **lupi mannari**, ma il timore improvviso che da un momento all'altro l'universo delle cose venisse **attraversato** da una **deflagrazione**. Le prime volte, appena **comparivi terrorizzata** nel cuore della notte nella mia stanza mi alzavo e con parole dolci **ti riaccompagnavo** nella tua. Lì, distesa nel letto, **tenendomi la mano** volevi che **ti raccontassi** delle storie che finivano bene. Per timore che dicessi qualcosa di **inquietante** mi descrivevi prima la trama **per filo e per segno**, io **non facevo altro** che ripetere **pedissequamente** le tue istruzioni. Ripetevo la **fiaba** una, due, tre volte: quando mi alzavo per tornare nella mia stanza, **convinta** che ti fossi calmata, sulla porta mi giungeva la tua voce **flebile**: «Va così?» chiedevi, «è vero, finisce sempre così?». Allora tornavo indietro, ti baciavo **sulla fronte** e baciandoti dicevo: «Non può finire in nessun altro modo, **tesoro, te lo giuro**».

Qualche altra notte invece, pur essendo **contraria** al fatto che dormissi con me – non fa bene ai bambini dormire con i vecchi – **non avevo coraggio** di rimandarti nel tuo letto. Appena sentivo la tua presenza accanto al **comodino**, senza voltarmi ti rassicuravo: «È tutto **sotto controllo**, non esplode niente, torna **pure** nella tua stanza». Poi fingevo di **scivolare** in un sonno immediato e **profondo**. Sentivo allora il tuo **respiro** leggero per un po' immobile, dopo qualche secondo il

cigolava squeaked, creaked
debolmente weakly
cauti cautious
ti addormentavi you fell asleep
esausta exhausted
topolino little mouse
grande spavento a huge scare
tana [animal] den
per stare al gioco to keep up the ploy
tiepida warm
Al risveglio Upon awakening
rarissimo very rare
trascorso passed
attacchi di panico panic attacks
come vuoi how could they
sforzi efforts
occhi sbarrati wide-eyed
smesso stopped
apparteneva it was part of
insolita leggerezza unusual carelessness
mischiate mixed
irraggiungibile unreachable
Chissà Who knows

Non stento proprio a crederlo I can well believe it
preavviso forewarning
ti sopporto I can't stand you

spiraglio a small opening, a glimmer
avi ancestors
tramandato handed down
susseguirsi following one after another

bordo del letto **cigolava debolmente**, con movimenti **cauti** mi scivolavi accanto e **ti addormentavi esausta** come un **topolino** che dopo un **grande spavento** finalmente raggiunge il caldo della **tana**. All'alba, **per stare al gioco**, ti prendevo in braccio, **tiepida**, abbandonata, e ti riportavo a finire il sonno in camera tua. **Al risveglio** era **rarissimo** che ti ricordassi qualcosa, quasi sempre eri convinta di aver **trascorso** tutta la notte nel tuo letto.

Quando questi **attacchi di panico** ti prendevano durante il giorno ti parlavo con dolcezza. «Non vedi com'è forte la casa», ti dicevo, «guarda come sono grossi i muri, **come vuoi** che possano esplodere?» Ma i miei **sforzi** per rassicurarti erano assolutamente inutili, con gli **occhi sbarrati** continuavi a osservare il vuoto davanti a te ripetendo: «Tutto può esplodere». Non ho mai **smesso** di interrogarmi su questo tuo terrore. Cos'era l'esplosione? Poteva essere il ricordo di tua madre, della sua fine tragica e improvvisa? Oppure **apparteneva** a quella vita che con **insolita leggerezza** avevi raccontato alle maestre dell'asilo? O erano le due cose assieme **mischiate** in qualche luogo **irraggiungibile** della tua memoria? **Chissà**. Nonostante ciò che si dice, credo che nella testa dell'uomo ci siano ancora più ombre che luce. Nel libro che avevo comprato quella volta comunque c'era anche scritto che i bambini che ricordano altre vite sono molto più frequenti in India e in Oriente, nei paesi in cui il concetto stesso è tradizionalmente accettato. **Non stento proprio a crederlo**. Pensa un po' se un giorno io fossi andata da mia madre e senza alcun **preavviso** avessi cominciato a parlare in un'altra lingua oppure le avessi detto: «Non **ti sopporto**, stavo molto meglio con la mia mamma nell'altra vita». Puoi stare sicura che non avrebbe aspettato neanche un giorno per rinchiudermi in una casa per lunatici.

Esiste uno **spiraglio** per liberarsi dal destino che impone l'ambiente di origine, da ciò che i tuoi **avi** ti hanno **tramandato** per la via del sangue? Chissà. Forse nel **susseguirsi** claustrofobico

Spezzare un anello Breaking a link

far entrare nella stanza aria diversa letting fresh air into the room

faticosissimo very difficult

pauroso frightening

incertezza uncertainty

mi ha partorito gave birth to me

affettuoso affectionate, loving

costretta forced

ebrea Jewish

convertita converted

ambiva a possedere un titolo nobiliare longed to have a title of nobility

barone e melomane a baron and passionate music lover

si era invaghito he became infatuated

doti di cantante natural talents as a singer

l'erede an heir

dispetti spiteful behavior

ripicche *here:* feuding, bickering

rancorosa filled with rancor/bitterness

sfiorata dal dubbio ever having doubted for even a moment

crudele cruel

prima infanzia early childhood

sofferto suffered

presunta presumed

cattiva/cattiveria bad/naughtiness

tentativi attempts

maldestri awkward

naufragavano resulted in a fiasco (*literally:* shipwrecked)

Più mi sforzavo The harder I tried

a disagio uneasy, helpless

rinuncia di sé giving up on oneself

conduce al disprezzo leads to contempt

capii (*passato remoto*) I understood

davvero truly

odiarla hate her

delle generazioni a un certo punto qualcuno riesce a intravedere un gradino un po' più alto e con tutte le sue forze cerca di arrivarci. **Spezzare un anello, far entrare nella stanza aria diversa**, è questo, credo, il minuscolo segreto del ciclo delle vite. Minuscolo ma **faticosissimo, pauroso** per la sua **incertezza**.

Mia madre si è sposata a sedici anni, a diciassette **mi ha partorito**. In tutta la mia infanzia, anzi, in tutta la mia vita, non le ho mai visto fare un solo gesto **affettuoso**. Il suo matrimonio non era stato d'amore. Nessuno l'aveva **costretta**, si era costretta da sola perché, più di ogni altra cosa, lei, ricca ma **ebrea** e per di più **convertita, ambiva a possedere un titolo nobiliare**. Mio padre, più anziano di lei, **barone e melomane, si era invaghito** delle sue **doti di cantante**. Dopo aver procreato **l'erede** che il buon nome richiedeva, hanno vissuto immersi in **dispetti** e **ripicche** fino alla fine dei loro giorni. Mia madre è morta insoddisfatta e **rancorosa**, senza mai essere **sfiorata dal dubbio** che almeno qualche colpa fosse sua. Era il mondo a essere **crudele** perché non le aveva offerto delle scelte migliori. Io ero molto diversa da lei e già a sette anni, passata la dipendenza della **prima infanzia**, ho cominciato a non sopportarla.

Ho **sofferto** molto a causa sua. Si agitava in continuazione e sempre e soltanto per delle cause esterne. La sua **presunta** "perfezione" mi faceva sentire **cattiva** e la solitudine era il prezzo della mia **cattiveria**. All'inizio facevo anche dei **tentativi** per provare a essere come lei, ma erano tentativi **maldestri** che **naufragavano** sempre. **Più mi sforzavo**, più mi sentivo **a disagio**. **La rinuncia di sé conduce al disprezzo**. Dal disprezzo alla rabbia il passo è breve. Quando **capii** che l'amore di mia madre era un fatto legato alla sola apparenza, a come dovevo essere e non a com'ero **davvero**, nel segreto della mia stanza e in quello del mio cuore cominciai a **odiarla**.

sfuggire escape, flee from

mi rifugiai (*passato remoto*) I took refuge

lume light

straccio rag, cloth

a ore piccole the middle of the night, early hours of the morning

fantasticare to daydream

piratessa a female pirate

molto particolare very special

rubavo I stole

ai poveri to the poor

banditesche of bandits/thieves

filantropiche philanthropic

negretti little black children

Heinrich Schliemann (1822–1890) German archaeologist who discovered the remains of the city of Troy

mai e poi mai never ever

infinite limitless (*literally:* infinite)

intraprendere to take on/undertake

combattuto fought

liceo classico Italian high schools that focus on the classics and the humanities

Non ne voleva sentire parlare He didn't want to hear a thing about it

non serviva a niente it would be of no use

spuntai (*passato remoto*) I got my way

varcai il portone (*passato remoto*) I crossed the threshold

Mi illudevo I was fooling myself

studi superiori high school

perentoria peremptory, final

Non se ne parla neanche Don't even mention it

obbedii (*passato remoto*) I obeyed

senza neanche fiatare without even saying a word

significhi means

giovinezza youth

lottato fought, challenged

impuntata dug in [my] heels

Per **sfuggire** a questo sentimento **mi rifugiai** in un mondo tutto mio. La sera, nel letto, coprendo il **lume** con uno **straccio** leggevo libri di avventura fino **a ore piccole**. Mi piaceva molto **fantasticare**. Per un periodo ho sognato di fare la **piratessa**, vivevo nel mare della Cina ed ero una piratessa **molto particolare**, perché **rubavo** non per me stessa ma per dare tutto **ai poveri**. Dalle fantasie **banditesche** passavo a quelle **filantropiche**, pensavo che dopo una laurea in medicina, sarei andata in Africa a curare i **negretti**. A quattordici anni ho letto la biografia di **Schliemann** e leggendola ho capito che **mai e poi mai** avrei potuto curare le persone perché la mia unica vera passione era l'archeologia. Di tutte le altre **infinite** attività che ho immaginato di **intraprendere** credo che questa fosse la sola davvero mia.

E infatti, per realizzare questo sogno, ho **combattuto** la prima e unica battaglia con mio padre: quella per andare al **liceo classico**. **Non ne voleva sentire parlare**, diceva che **non serviva a niente**, che, se proprio volevo studiare, era meglio che imparassi le lingue. Alla fine, però, la **spuntai**. Nel momento in cui **varcai il portone** del ginnasio, ero assolutamente certa di aver vinto. **Mi illudevo**. Quando alla fine degli **studi superiori** gli comunicai la mia intenzione di fare l'università a Roma, la sua risposta fu **perentoria**: «**Non se ne parla neanche**». E io, come si usava allora, **obbedii senza neanche fiatare**. Non bisogna credere che aver vinto una battaglia **significhi** aver vinto la guerra. È un errore di **giovinezza**. Ripensandoci adesso, penso che se avessi **lottato** ancora, se mi fossi **impuntata**, alla fine mio

rifiuto categorico categorical refusal

In fondo In the end

capaci di decisioni proprie capable of making their own decisions

Di conseguenza Consequently

manifestavano qualche volontà they showed a desire

metterli alla prova put them to the test, let them show themselves

capitolato al primo scoglio given up (*literally:* capitulated) at the first stumbling block

più che evidente totally obvious

non si trattava it wasn't about

vocazione vocation

desiderio passeggero a passing fancy

dovere mondano social obligation

Tanto...altrettanto As much as...also

trascuravano they neglected, let slide

sviluppo interiore inner development

educazione upbringing

dritta straight

gomiti elbows

darmi la morte kill myself

L'apparenza Appearances

cose sconvenienti petty inconveniences

scimmia monkey

addestrare train

scoramenti moments of dejection

goffi clumsy

palombaro deep-sea diver

Da dove vengo Where do I [truly] come from?

sensibili sensitive

s'affacciano they're facing, they face

tentativi attempts

neanche mai poste never even considered

accresciuto grew

padre avrebbe ceduto. Quel suo **rifiuto categorico** faceva parte del sistema educativo di quei tempi. **In fondo** non si credevano i giovani **capaci di decisioni proprie. Di conseguenza,** quando **manifestavano qualche volontà** diversa, si cercava di **metterli alla prova.** Visto che avevo **capitolato al primo scoglio,** per loro era stato **più che evidente** che **non si trattava** di una vera **vocazione** ma di un **desiderio passeggero.**

Per mio padre, come per mia madre, i figli prima di ogni altra cosa erano un **dovere mondano. Tanto trascuravano** il nostro **sviluppo interiore, altrettanto** trattavano con rigidità estrema gli aspetti più banali dell'**educazione.** Dovevo sedermi **dritta** a tavola con i **gomiti** vicino al corpo. Se, nel farlo, dentro di me pensavo soltanto al modo migliore per **darmi la morte,** non aveva nessuna importanza. **L'apparenza** era tutto, al di là di essa esistevano soltanto **cose sconvenienti.**

Così sono cresciuta con il senso di essere qualcosa di simile a una **scimmia** da **addestrare** bene e non un essere umano, una persona con le sue gioie, i suoi **scoramenti,** il suo bisogno di essere amata. Da questo disagio molto presto è nata dentro di me una grande solitudine, una solitudine che con gli anni è diventata enorme, una specie di vuoto pneumatico in cui mi muovevo con i gesti lenti e **goffi** di un **palombaro.** La solitudine nasceva anche dalle domande, da domande che mi ponevo e alle quali non sapevo rispondere. Già a quattro, cinque anni mi guardavo intorno e mi chiedevo: «Perché mi trovo qui? **Da dove vengo** io, da dove vengono tutte le cose che vedo intorno a me, cosa c'è dietro, sono sempre state qui anche se io non c'ero, ci saranno per sempre?». Mi facevo tutte le domande che si fanno i bambini **sensibili** quando **s'affacciano** alla complessità del mondo. Ero convinta che anche i grandi se le facessero, che fossero capaci di rispondere, invece dopo due o tre **tentativi** con mia madre e la tata ho intuito non solo che non sapevano rispondere, ma che non se le erano **neanche mai poste.**

Così si è **accresciuto** il senso di solitudine, capisci, ero

costretta forced

facevano spavento they scared me

cane da caccia hunting dog

mite mild, calm

affettuoso affectionate

compagno di giochi playmate

lo imboccavo I fed him

pappine little doggie treats

costringevo I forced

parrucchiera hair salon

ribellarsi rebel, resist

ornate decorated

forcine hairpins, bobby pins

acconciatura hairstyle

mi sono accorta I noticed

gonfio swollen

non aveva più voglia he didn't feel like

merenda snack

non si piazzava più he didn't sit right down anymore

a sospirare speranzoso sighing hopefully

attendermi waiting for me

In principio At first

mi nacque I started to feel

urlando a squarciagola shouting at the top of [my] lungs

esplorai (*passato remoto*) explored, searched

da cima a fondo from top to bottom

bacio...della buonanotte goodnight kiss

raccogliendo summoning up, gathering up

distogliere lo sguardo lifting [his] eyes

stufo sick and tired

Indelicatezza Tactless

si ruppe snapped

nonnulla nothing, a trifle

scoppiare in singhiozzi burst into sobs

venne convocato il pediatra (*passato remoto*) the pediatrician
was summoned

costretta a risolvere ogni enigma con le mie sole forze, più passava il tempo, più mi interrogavo su ogni cosa, erano domande sempre più grandi, sempre più terribili, al solo pensarle **facevano spavento**.

Il primo incontro con la morte l'ho avuto verso i sei anni. Mio padre possedeva un **cane da caccia**, Argo; aveva un temperamento **mite** e **affettuoso** ed era il mio **compagno di giochi** preferito. Per pomeriggi interi **lo imboccavo** con **pappine** di fango e di erbe, oppure lo **costringevo** a fare la cliente della **parrucchiera**, e lui senza **ribellarsi** girava per il giardino con le orecchie **ornate** di **forcine**. Un giorno, però, proprio mentre gli provavo un nuovo tipo di **acconciatura**, **mi sono accorta** che sotto la gola c'era qualcosa di **gonfio**. Già da alcune settimane **non aveva più voglia** di correre e di saltare come una volta, se mi mettevo in un angolo a mangiare la **merenda**, **non si piazzava più** davanti **a sospirare speranzoso**.

Una mattina, al ritorno da scuola, non lo trovai ad **attendermi** al cancello. **In principio** pensai che fosse andato da qualche parte con mio padre. Ma quando vidi mio padre tranquillamente seduto nello studio e senza Argo ai suoi piedi, **mi nacque** dentro una grande agitazione. Uscii e **urlando a squarciagola** lo chiamai per tutto il giardino, tornata dentro per due o tre volte **esplorai** la casa **da cima a fondo**. La sera, al momento di dare ai miei genitori il **bacio** obbligatorio **della buonanotte**, **raccogliendo** tutto il mio coraggio chiesi a mio padre: «Dov'è Argo?». «Argo», rispose lui senza **distogliere lo sguardo** dal giornale, «Argo è andato via.» «E perché?» domandai io. «Perché era **stufo** dei tuoi dispetti.»

Indelicatezza? Superficialità? Sadismo? Cosa c'era in quella risposta? Nell'istante preciso in cui sentii quelle parole, qualcosa dentro di me **si ruppe**. Cominciai a non dormire più la notte, di giorno bastava un **nonnulla** per farmi **scoppiare in singhiozzi**. Dopo un mese o due **venne convocato il pediatra**.

esaurita worn out, exhausted (as in a breakdown)

somministrò (*passato remoto*) administered

fegato di merluzzo cod liver

smangiucchiata (*slang*) chewed up

risalire goes back to, dates back to

scomparire disappear, vanish

neutre neutral

sbaglio error

via via little by little

apatica apathetic, listless

esitante hesitant

stringevo I held tightly

ti voglio più bene di tutti I love you more than anyone

cucciolo puppy

non volli (*passato remoto*) I didn't want

perfetto estraneo perfect stranger

imperava reigned

siepe hedge

pettirosso stecchito stone-dead robin redbreast

gridato yelled

non andava affrontato was not to be faced, not confronted

prendermi in braccio taken me in [his] arms

ucciso killed

soffriva suffered

mi sarei disperata I would have been in despair,
    inconsolable

sepolto buried

«La bambina è **esaurita**», disse, e mi **somministrò** dell'olio di **fegato di merluzzo**. Perché non dormivo, perché andavo sempre in giro portandomi dietro la pallina **smangiucchiata** di Argo, nessuno me l'ha mai chiesto.

È a quell'episodio che faccio **risalire** il mio ingresso nell'età adulta. A sei anni? Sì, proprio a sei anni. Argo se ne era andato perché io ero stata cattiva, il mio comportamento dunque influiva su ciò che stava intorno. Influiva facendo **scomparire**, distruggendo.

Da quel momento in poi le mie azioni non sono state più **neutre**, fini a se stesse. Nel terrore di fare qualche altro **sbaglio** le ho ridotte **via via** al minimo, sono diventata **apatica, esitante**. La notte **stringevo** la pallina tra le mani e piangendo dicevo: «Argo, ti prego, torna, anche se ho sbagliato **ti voglio più bene di tutti**». Quando mio padre portò a casa un altro **cucciolo**, **non volli** nemmeno guardarlo. Per me era, e doveva rimanere, un **perfetto estraneo**.

Nell'educazione dei bambini **imperava** l'ipocrisia. Ricordo benissimo che una volta, passeggiando con mio padre vicino a una **siepe**, avevo trovato un **pettirosso stecchito**. Senza alcun timore l'avevo preso in mano e glielo avevo mostrato. «Mettilo giù», aveva subito **gridato** lui, «non vedi che dorme?» La morte, come l'amore, era un argomento che **non andava affrontato**. Non sarebbe stato mille volte meglio se mi avessero detto che Argo era morto? Mio padre avrebbe potuto **prendermi in braccio** e dirmi: «L'ho **ucciso** io perché era malato e **soffriva** troppo. Dove sta adesso è molto più felice». Avrei certo pianto di più, **mi sarei disperata**, per mesi e mesi sarei andata nel luogo in cui era **sepolto**, attraverso la terra gli avrei parlato a lungo. Poi, piano piano, avrei cominciato a dimenticarlo, altre cose mi sarebbero interessate, avrei avuto altre passioni e Argo sarebbe scivolato in fondo ai miei pensieri come un ricordo, un bel ricordo della mia infanzia. In questo modo, invece, Argo è diventato un piccolo morto che mi porto dentro.

59

Perciò It's for this reason, That's why
l'ansia anxiety

da vecchia as an old woman
stroncato cut down
polmonite pneumonia
concepita conceived
sventura misfortune
coincidenza coincidence
lutto mourning
culla crib
troneggiava dominated
rimpiazzo replacement
sbiadita faded
incolparla could she be blamed
scelte sbagliate poor choices
Persino Even
allevate raised
asettico aseptic
se risalissimo if we were to go back [in time]

abitualmente normally, usually (*literally:* habitually)
anomalie genetiche genetic anomalies
smorzarsi toning down
inestirpabile rooted, ineradicable

espandersi expand
compiuto made
rancore rancor, resentment
lucidità clarity (*literally:* lucidity)
ferragosto The Feast of the Assumption, August 15
promontorio promontory
fuochi d'artificio fireworks
sparavano shot up

60

Perciò dico che a sei anni ero grande, perché al posto della gioia ormai avevo **l'ansia**, a quello della curiosità, l'indifferenza. Erano dei mostri mio padre e mia madre? No, assolutamente, per quei tempi erano delle persone assolutamente normali.

Soltanto **da vecchia** mia madre ha cominciato a raccontarmi qualcosa della sua infanzia. Sua madre era morta quando lei era ancora bambina, prima di lei aveva avuto un maschio **stroncato** a tre anni da una **polmonite**. Lei era stata **concepita** subito dopo e aveva avuto la **sventura** di nascere non solo femmina, ma anche il giorno stesso in cui il fratello era morto. Per ricordare questa triste **coincidenza**, fin da lattante era stata vestita con i colori del **lutto**. Sulla sua **culla troneggiava** un grande ritratto a olio del fratello. Serviva a farle presente, ogni volta che apriva gli occhi, di essere solo un **rimpiazzo**, una copia **sbiadita** di qualcuno migliore. Capisci? Come **incolparla** allora della sua freddezza, delle sue **scelte sbagliate**, del suo essere lontana da tutto? **Persino** le scimmie, se vengono **allevate** in un laboratorio **asettico** invece che dalla vera madre, dopo un poco diventano tristi e si lasciano morire. E **se risalissimo** ancora più su, a vedere sua madre o la madre di sua madre, chissà cos'altro troveremmo.

L'infelicità **abitualmente** segue la linea femminile. Come certe **anomalie genetiche**, passa di madre in figlia. Passando, invece di **smorzarsi**, diviene via via più intensa, più **inestirpabile** e profonda. Per gli uomini quella volta era molto diverso, avevano la professione, la politica, la guerra; la loro energia poteva andare fuori, **espandersi**. Noi no. Noi per generazioni e generazioni, abbiamo frequentato soltanto la stanza da letto, la cucina, il bagno; abbiamo **compiuto** migliaia e migliaia di passi, di gesti, portandoci dietro lo stesso **rancore**, la stessa insoddisfazione. Sono diventata femminista? No, non temere, cerco soltanto di guardare con **lucidità** ciò che sta dietro.

Ti ricordi quando la notte di **ferragosto** andavamo sul **promontorio** a guardare i **fuochi d'artificio** che **sparavano**

implodono implode

dal mare? Tra tutti, ogni tanto ce n'era uno che pur esplodendo non riusciva a raggiungere il cielo. Ecco, quando penso alla vita di mia madre, a quella di mia nonna, quando penso a tante vite di persone che conosco, mi viene in mente proprio quest'immagine – fuochi che **implodono** invece di salire in alto.

I promessi sposi *The Betrothed* (1827), a novel by
Alessandro Manzoni, one of the great masterpieces of
Italian literature as well as a standard for the modern
Italian language

personaggi characters

altrettanto the same thing

ostile hostile

giannizzero lackey, hanger-on

mettere un po' di aria tra me e lei put some space between
me and her

occidente the west

incombevano threatened

nubi clouds

scroscio thunderclap

sopraggiunto arose unexpectedly

temporale storm

staccato disconnected

danneggiare get damaged

fulmini lightning

torcia flashlight

adempiere carry out, fulfill

quotidiano daily

scintille sparks

l'impavido fearless

senza una meta precisa without a precise destination

disuso da tempo out of use, unused for some time

effetto effect

affatto at all

21 novembre

Da qualche parte ho letto che Manzoni, mentre scriveva *I promessi sposi*, si alzava ogni mattina contento di ritrovare tutti i suoi **personaggi**. Non posso dire **altrettanto** di me. Anche se sono passati tanti anni non mi fa nessun piacere parlare della mia famiglia, mia madre è rimasta nella mia memoria immobile e **ostile** come un **giannizzero**. Questa mattina, per cercare di **mettere un po' di aria tra me e lei,** tra me e i ricordi, sono andata a fare una passeggiata in giardino. Durante la notte era caduta la pioggia, verso **occidente** il cielo era chiaro mentre alle spalle della casa **incombevano** ancora delle **nubi** viola. Prima che cominciasse un altro **scroscio** sono tornata dentro. In breve è **sopraggiunto** un **temporale**, in casa era così buio che ho dovuto accendere le luci. Ho **staccato** la televisione e il frigorifero per non farli **danneggiare** dai **fulmini**, poi ho preso la **torcia**, l'ho messa in tasca e sono venuta in cucina per **adempiere** al nostro incontro **quotidiano**.

Appena mi sono seduta però, mi sono resa conto di non essere ancora pronta, forse nell'aria c'era troppa elettricità, i miei pensieri andavano qua e là come fossero **scintille**. Allora mi sono alzata e con **l'impavido** Buck dietro ho girato un po' per la casa **senza una meta precisa**. Sono andata nella camera dove dormivo con il nonno, poi nella mia di adesso – che una volta era di tua madre –, poi nella stanza da pranzo in **disuso da tempo**, e infine nella tua. Passando da una all'altra mi sono ricordata dell'**effetto** che mi aveva fatto la casa la prima volta in cui vi ero entrata: non mi era piaciuta **affatto**. Non ero io ad averla scelta ma mio marito Augusto e anche lui l'aveva scelta

in fretta in a hurry

aspettare oltre wait any longer

gli era parso it seemed to him

soddisfacesse satisfied

esigenze needs

cattivo gusto poor taste

anzi or rather, actually

pessimo dreadful

si accordasse went together with, matched

oblò porthole

tetto a gradini stepped rooftop

olandesi Dutch

si affacciano face, overlook

camini chimneys

epoca time period

mi inquietava made me restless, disturbed me

impiegato spent

abituarmi get used to

coincidesse coincided

pareti walls

fulmine lightning bolt

fatto saltare la luce made the lights go out

scroscio roar

sferzate whipping

scricchiolii creaks

tonfi thumps

si assesta settles

per un attimo for an instant

mi è parsa seemed to me

veliero sailing ship

noce walnut tree

sporcato dirtied

prostrato prostrate

stenta a riprendersi he haltingly recovers from

in fretta. Avevamo bisogno di un posto dove stare e non si poteva **aspettare oltre**. Essendo abbastanza grande e avendo il giardino, **gli era parso** che questa **soddisfacesse** tutte le nostre **esigenze**. Dall'istante in cui avevamo aperto il cancello mi era parsa subito di **cattivo gusto, anzi** di gusto **pessimo**; nei colori e nelle forme non c'era una sola parte che **si accordasse** con l'altra. Se la guardavi da un lato sembrava uno chalet svizzero, dall'altro, con il suo grande **oblò** centrale e la facciata del **tetto a gradini**, poteva essere una di quelle case **olandesi** che **si affacciano** sui canali. Se la guardavi da lontano con i suoi sette **camini** di forma diversa capivi che l'unico luogo in cui poteva esistere era una fiaba. Era stata costruita negli anni Venti ma non c'era un solo particolare che la potesse classificare come una casa di quell'**epoca**. Il fatto che non avesse un'identità **mi inquietava**, ho **impiegato** tanti anni per **abituarmi** all'idea che fosse mia, che l'esistenza della mia famiglia **coincidesse** con le sue **pareti**.

Proprio mentre stavo in camera tua un **fulmine** caduto più vicino degli altri ha **fatto saltare la luce**. Invece di accendere la torcia mi sono distesa sul letto. Fuori c'era lo **scroscio** della pioggia forte, le **sferzate** del vento, dentro c'erano suoni diversi, **scricchiolii**, piccoli **tonfi**, i rumori del legno che **si assesta**. Con gli occhi chiusi **per un attimo** la casa **mi è parsa** una nave, un grande **veliero** che avanzava sul prato. La tempesta si è calmata soltanto verso l'ora di pranzo, dalla finestra della tua stanza ho visto che dal **noce** erano caduti due grossi rami.

Adesso sono di nuovo in cucina, nel mio luogo di battaglia, ho mangiato e lavato i pochi piatti che avevo **sporcato**. Buck dorme ai miei piedi **prostrato** dalle emozioni di questa mattina. Più passano gli anni, più i temporali lo gettano in uno stato di terrore da cui **stenta a riprendersi**.

Nei libri che avevo comprato quando tu andavi all'asilo, a un certo punto avevo trovato scritto che la scelta della famiglia nella quale ci si trova a nascere è guidata dal ciclo delle vite. Si

procedere go ahead (*literally:* proceed)

si torna indietro one goes back

supplemento scientifico a newspaper insert on scientific
  topics

cambiamenti changes

teorie theories

sfruttare take advantage of

risorsa resource

compaiono all'improvviso they suddenly appear

i resti degli scheletri the remains of skeletons

mandibole, zoccoli, crani jaws, hooves, skulls

specie species

intermedie intermediate

così...colà like this...like that, this way...that way

avvenuto occurred, happened

la vita interiore the inner life

si accumulano accumulate

in sordina quietly, furtively

rompe il cerchio breaks the cycle

ereditarietà heredity

colta seized by

sgomento dismay

racchiuso enclosed, enveloped

oroscopo horoscope

mi è capitata davanti she appeared before me

foglio piece of paper

disegno geometrico geometric drawing, symbols

univano linked (*literally:* united)

pianeta planet

Appena As soon as

armonia harmony

susseguirsi di salti succession of jumps

svolte changes of course

brusche abrupt

hanno quel padre e quella madre perché soltanto quel padre e quella madre ci permetteranno di capire qualcosa in più, di avanzare di un piccolo, piccolissimo passo. Ma se è così, mi ero chiesta allora, perché per tante generazioni si resta fermi? Perché invece di **procedere si torna indietro?**

Di recente, sul **supplemento scientifico** di un giornale, ho letto che forse l'evoluzione non funziona come abbiamo sempre pensato funzionasse. I **cambiamenti**, secondo le ultime **teorie**, non avvengono in modo graduale. La zampa più lunga, il becco di forma diversa per **sfruttare** un'altra **risorsa**, non si formano piano piano, millimetro dopo millimetro, generazione dopo generazione. No, **compaiono all'improvviso**: dalla madre al figlio tutto cambia, tutto è diverso. A confermarlo ci sono **i resti degli scheletri**, **mandibole, zoccoli, crani** con denti diversi. Di tante **specie** non sono mai state trovate forme **intermedie**. Il nonno è **così** e il nipote è **colà**, tra una generazione e l'altra è **avvenuto** un salto. Se fosse così anche per **la vita interiore** delle persone?

I cambiamenti **si accumulano in sordina**, piano piano e poi a un certo punto esplodono. Tutt'a un tratto una persona **rompe il cerchio**, decide di essere diversa. Destino, **ereditarietà**, educazione, dove comincia una cosa, dove finisce l'altra? Se ti fermi anche un solo istante a riflettere vieni **colta** quasi subito dallo **sgomento** per il grande mistero **racchiuso** in tutto questo.

Poco prima che mi sposassi, la sorella di mio padre – l'amica degli spiriti – mi aveva fatto fare un **oroscopo** da un suo amico astrologo. Un giorno **mi è capitata davanti** con un **foglio** in mano e mi ha detto: «Ecco, questo è il tuo futuro». C'era un **disegno geometrico** su quel foglio, le linee che **univano** il segno di un **pianeta** all'altro formavano molti angoli. **Appena** l'ho visto ricordo di aver pensato: non c'è **armonia** qua dentro, non c'è continuità, ma un **susseguirsi di salti**, di **svolte** così **brusche** da sembrare cadute. Dietro l'astrologo aveva scritto:

armarti arm yourself
virtù virtues
compierlo fino in fondo follow it to the end
Ero rimasta fortemente colpita I was extremely shaken
baratri abysses
increspature ripples

scostata moved away
scomparsa passing away, death
Eppure And though
a guardar bene looking closely at it
non mentiva didn't lie
superficie surface
tran tran quotidiano same old daily routine
borghese upper-middle-class
piccole ascese small advances (*literally:* ascents)
oscurità darkness
precipizi profondissimi deep precipices
prendeva il sopravvento got the upper hand
marciano battendo il passo mark time, march on the spot

colpo di grazia coup de grâce
crollò (*passato remoto*) fell apart
ho mosso un passo o due I took one or two steps forward
retrocessa in retreat, going backwards
compreso understood
stato depressivo depressive state
esigenze demands, needs
indifesa defenseless
invaso invaded
risate improvvise sudden peels of laughter
testona large head (used jokingly)
oscillare swaying
Il caso Chance
imprevedibile unpredictable

70

«Un cammino difficile, dovrai **armarti** di tutte le **virtù** per **compierlo fino in fondo**».

Ero rimasta fortemente colpita, la mia vita, fino a quel momento mi era sembrata molto banale, c'erano state sì delle difficoltà ma mi erano parse difficoltà da nulla, più che **baratri** erano semplici **increspature** della giovinezza. Anche quando poi sono diventata adulta, moglie e madre, vedova e nonna, non mi sono mai **scostata** da questa apparente normalità. L'unico evento straordinario, se così si può dire, è stata la tragica **scomparsa** di tua madre. **Eppure a guardar bene**, in fondo, quel quadro delle stelle **non mentiva**, dietro la **superficie** solida e lineare, dietro il mio **tran tran quotidiano** di donna **borghese**, in realtà c'era un movimento continuo, fatto di **piccole ascese**, di lacerazioni, di **oscurità** improvvise e **precipizi profondissimi**. Mentre vivevo, spesso la disperazione **prendeva il sopravvento**, mi sentivo come quei soldati che **marciano battendo il passo**, fermi nello stesso posto. Cambiavano i tempi, cambiavano le persone, tutto cambiava intorno a me e io avevo l'impressione di restare sempre ferma.

Alla monotonia di questa marcia, la morte di tua madre ha dato il **colpo di grazia**. L'idea già modesta che avevo di me **crollò** in un solo istante. Se fino a ora, mi dicevo, **ho mosso un passo o due**, adesso all'improvviso sono **retrocessa**, nel mio cammino ho raggiunto il punto più basso. In quei giorni ho temuto di non farcela più, mi sembrava che quella minima parte di cose che avevo **compreso** fino ad allora fosse stata cancellata in un colpo solo. Per fortuna non ho potuto abbandonarmi a lungo a questo **stato depressivo**, la vita con le sue **esigenze** continuava ad andare avanti.

La vita eri tu: sei arrivata piccola, **indifesa**, senza nessun altro al mondo, hai **invaso** questa casa silenziosa e triste delle tue **risate improvvise**, dei tuoi pianti. Nel vedere la tua **testona** di bambina **oscillare** tra la tavola e il divano ricordo di aver pensato che non tutto poi era finito. **Il caso**, nella sua **imprevedibile**

71

ebraico Hebrew

casualità chance

azzardo risk, hazard, danger

buffo funny

non ti pare don't you think

rassicurante reassuring

l'umile vocabolo the humble word

regolato regulated

ti accade happens to you

invidia envy

esitazioni hesitation

levità lightness

la buona volontà the best of my ability

ingiustizia injustice

indietreggiato retreated

giustificarli justifying, making excuses for them

rivolta rebellion (*literally:* revolt)

comunque however

mi appresto I'm rushing

a compiere to make, complete

detesti you dislike

Rimbalzano They bounce off

corazza shell

non puoi farci niente you can't do a thing about it

riletto read over

si affollano crowd, fill up

si spingono una con l'altra they push against each other

saldi di stagione end-of-season sales

ragiono I reason/think

si dipani progresses, stretches out

pannolini diapers

botanico botanist

prato field

sceglie he/she chooses

generosità, mi aveva dato ancora una possibilità.

Il Caso. Una volta il marito della signora Morpurgo mi ha detto che in **ebraico** questa parola non esiste. Per indicare qualcosa di relativo alla **casualità** sono costretti a usare la parola **azzardo** che è araba. È **buffo, non ti pare?** È buffo ma anche **rassicurante**: dove c'è Dio non c'è posto per il caso, neppure per **l'umile vocabolo** che lo rappresenta. Tutto è ordinato, **regolato** dall'alto, ogni cosa che **ti accade**, ti accade perché ha un senso. Ho sempre provato una grande **invidia** per quelli che abbracciano questa visione del mondo senza **esitazioni**, per la loro scelta di **levità**. Per quel che mi riguarda con tutta **la buona volontà** non sono mai riuscita a farla mia per più di due giorni consecutivi: davanti all'orrore, davanti all'**ingiustizia** ho sempre **indietreggiato**, invece di **giustificarli** con gratitudine mi è sempre nato dentro un gran senso di **rivolta**.

Adesso **comunque mi appresto a compiere** un'azione davvero azzardata come quella di mandarti un bacio. Quanto li **detesti**, eh? **Rimbalzano** sulla tua **corazza** come palle da tennis. Ma non ha nessuna importanza, che ti piaccia o no un bacio te lo mando lo stesso, **non puoi farci niente** perché in questo momento, trasparente e leggero, sta già volando sopra l'oceano.

Sono stanca. Ho **riletto** quello che ho scritto fino a qui con una certa ansia. Capirai qualcosa? Tante cose **si affollano** nella mia testa, per uscire **si spingono una con l'altra** come le signore davanti ai **saldi di stagione**. Quando **ragiono** non riesco mai ad avere un metodo, un filo che con senso logico **si dipani** dall'inizio alla fine. Chissà, alle volte penso che sia perché non sono mai andata all'università. Ho letto tanti libri, sono stata curiosa di molte cose, ma sempre con un pensiero ai **pannolini**, un altro ai fornelli, un terzo ai sentimenti. Se un **botanico** passeggia per un **prato sceglie** i fiori con un ordine

scarta he discards
stabilisce relazioni makes relationships between
gitante nature hiker
sentiero pathway, trail
rimproverava reprimanded, told [me] off
soccombevo I gave in
dialettica dialectic
borghesi bourgeois, upper-middle-class
seriamente seriously
Tanto In any case
pervasa da *in effect:* filled with (*literally:* pervaded with)
inquietudine selvatica wild restlessness
priva without
riprovazione disapproval
reazionaria reactionary
in quanto tale as such
dedita devoted to
lusso luxury, luxurious things
incline al male inclined towards evil
tribunale del popolo trial by jury, revolutionary court
torto fault
baracca hut
periferia outskirts
avevo avuto in eredità I inherited
rendita private income
entrambe both of us, each of us
perlomeno at least
derisa derided, mocked
estranea foreign
totalizzante absolutist, despotic
percepire perceive
diffidenza distrust
frasi fatte talking points, political slogans
frequentò (*passato remoto*) attended [a university or classes]
insofferente intolerant
proponevo I proposed
carico filled with
a rilento at a slow pace, slowly

preciso, sa quello che gli interessa e quello che non gli interessa affatto; decide, **scarta, stabilisce relazioni**. Ma se per il prato passeggia un **gitante**, i fiori vengono scelti in modo diverso, uno perché è giallo, l'altro perché azzurro, un terzo perché è profumato, il quarto perché sta sul bordo del **sentiero**. Credo che il mio rapporto con il sapere sia stato proprio così. Tua madre me lo **rimproverava** sempre. Quando ci trovavamo a discutere io **soccombevo** quasi subito. «Non hai **dialettica**», mi diceva. «Come tutte le persone **borghesi** non sai difendere **seriamente** ciò che pensi.»

Tanto tu sei **pervasa da** un'**inquietudine selvatica** e **priva** di nome, altrettanto tua madre era pervasa dall'ideologia. Per lei il fatto che parlassi di cose piccole anziché grandi era fonte di **riprovazione**. Mi chiamava **reazionaria** e malata di fantasie borghesi. Secondo il suo punto di vista io ero ricca e, **in quanto tale**, **dedita** al superfluo, al **lusso**, naturalmente **incline al male**.

Da come mi guardava certe volte ero sicura che se ci fosse stato un **tribunale del popolo**, e lei ne fosse stata a capo, mi avrebbe condannato a morte. Avevo il **torto** di vivere in una villetta con il giardino invece che in una **baracca** o in un appartamento di **periferia**. A quel torto s'aggiungeva il fatto che **avevo avuto in eredità** una piccola **rendita** che permetteva a **entrambe** di vivere. Per non fare gli errori che avevano fatto i miei genitori, mi interessavo a quello che diceva o **perlomeno** mi sforzavo a farlo. Non l'ho mai **derisa** né mai le ho fatto capire quanto fossi **estranea** a qualsiasi idea **totalizzante**, ma lei doveva **percepire** ugualmente la mia **diffidenza** verso le sue **frasi fatte**.

Ilaria **frequentò** l'università a Padova. Avrebbe potuto benissimo farla a Trieste, ma era troppo **insofferente** per continuare a vivermi accanto. Ogni volta che le **proponevo** di andarla a trovare mi rispondeva con un silenzio **carico** di ostilità. I suoi studi andavano molto **a rilento,** non sapevo con

75

fragilità   fragility

maggio francese   the May 1968 student riots in France

le università occupate   universities taken over by radical students

resoconti   accounts of [events]

mi rendevo conto   I realized

infervorata   carried away

Ubbidiente   Obedient

convulso   at a fevered pitch, convulsed

sfuggente   elusive

infilava   slipped in

equilibrio psichico   mental stability

partecipe   a part of, a participant in

divideva   shared

dogmi   dogmas

restò esterrefatta   (*passato remoto*) She was appalled/horrified

mi aggredì   (*passato remoto*) she attacked me

avvertirmi   warned me

Indossava   She was wearing

camicia da notte   nightgown

bugia   a lie

Finsi di non accorgermene   (*passato remoto*) I pretended not to notice

Pazienza   Oh well   (*literally:* Patience)

festeggeremo   we'll celebrate

risultato   results

tale fretta   such a hurry

mi misi a curiosare   I started looking around

cassetti   drawers

spiarla   spy on her

opere di censura   censorship

placarla   placate it

volantini e opuscoli   flyers and brochures

chi divideva la casa, non aveva mai voluto dirmelo. Conoscendo la sua **fragilità** ero preoccupata. C'era stato il **maggio francese**, **le università occupate**, il movimento studentesco. Ascoltando i suoi rari **resoconti** al telefono, **mi rendevo conto** che non riuscivo più a seguirla, era sempre **infervorata** per qualcosa e questo qualcosa cambiava di continuo. **Ubbidiente** al mio ruolo di madre cercavo di capirla, ma era molto difficile: tutto era **convulso, sfuggente**, c'erano troppe idee nuove, troppi concetti assoluti. Invece di parlare con frasi proprie Ilaria **infilava** uno slogan dietro l'altro. Avevo paura per il suo **equilibrio psichico**: il sentirsi **partecipe** di un gruppo con il quale **divideva** le stesse certezze, gli stessi **dogmi** assoluti, rafforzava in modo preoccupante la sua naturale tendenza all'arroganza.

Al suo sesto anno di università, preoccupata da un silenzio più lungo degli altri, presi il treno e andai a trovarla. Da quando stava a Padova non l'avevo mai fatto. Appena aprì la porta **restò esterrefatta**. Invece di salutarmi **mi aggredì**: «Chi ti ha invitata?» e senza neanche darmi il tempo di rispondere aggiunse: «Avresti dovuto **avvertirmi**, stavo proprio uscendo. Stamattina ho un esame importante». **Indossava** ancora la **camicia da notte**, era evidente che si trattava di una **bugia**. **Finsi di non accorgermene**, dissi: «**Pazienza**, vuol dire che ti aspetterò e poi **festeggeremo** il **risultato** assieme». Di lì a poco uscì davvero, con una **tale fretta** che lasciò i libri sul tavolo.

Rimasta sola a casa feci quello che avrebbe fatto qualsiasi altra madre, **mi misi a curiosare** tra i **cassetti**, cercavo un segno, qualcosa che mi aiutasse a capire che direzione aveva preso la sua vita. Non avevo intenzione di **spiarla**, di compiere **opere di censura** o inquisizione, queste cose non hanno mai fatto parte del mio carattere. C'era solo una grande ansia in me e per **placarla** avevo bisogno di qualche punto di contatto. A parte **volantini e opuscoli** di propaganda rivoluzionaria, per le mani non mi capitò altro, non una lettera, non un diario. Su una

manifesto poster
ariosa airy
stimolante stimulating
camera a gas gas chamber
indizio clue
aria trafelata rushed/breathless air [about her]
Sollevò le spalle (*passato remoto*) She shrugged her shoulders
controllarmi check up on me
lo scontro a clash
disponibile open

incredula incredulously, in disbelief

salice willow tree
un po' spento rather lifeless
piccolo borghesi petty bourgeoise

ubbidii (*passato remoto*) obey
la raggiunsi (*passato remoto*) I went to her
soffrire suffer so
respiro farsi più svelto breathing become more rapid
mi vieni incontro meet me halfway
mento chin
tremarle tremble
si voltò di scatto turned on a dime, abruptly
contratto contracted, tense
scosso da singhiozzi profondi shaking with deep sobs
accarezzai (*passato remoto*) I caressed
ghiacciate frozen
bollente boiling hot

squillò (*passato remoto*) rang
bisbigliai (*passato remoto*) I whispered
asciugandosi drying

parete della sua stanza da letto c'era un **manifesto** con sopra scritto "La famiglia è **ariosa** e **stimolante** come una **camera a gas**". A suo modo quello era un **indizio**.

Ilaria rientrò nel primo pomeriggio, aveva la stessa **aria trafelata** con la quale era uscita. «Come è andato l'esame?» le domandai con il tono più affettuoso possibile. **Sollevò le spalle.** «Come tutti gli altri», e dopo una pausa aggiunse, «sei venuta per questo, per **controllarmi**?» Volevo evitare **lo scontro**, così con tono quieto e **disponibile** le risposi che avevo un solo desiderio ed era quello di parlare un po' assieme.

«Parlare?» ripeté **incredula**. «E di cosa? Delle tue passioni mistiche?»

«Di te, Ilaria», dissi allora piano, cercando di incontrare i suoi occhi. Si avvicinò alla finestra, teneva lo sguardo fisso su un **salice un po' spento**: «Non ho niente da raccontare, non a te almeno. Non voglio perdere tempo in chiacchiere intimiste e **piccolo borghesi**». Poi spostò gli occhi dal salice all'orologio da polso e disse: «È tardi, ho una riunione importante. Te ne devi andare». Non le **ubbidii**, mi alzai ma invece di uscire **la raggiunsi**, presi le sue mani tra le mie. «Cosa succede?» le domandai, «cosa ti fa **soffrire**?» Sentivo il suo **respiro farsi più svelto**. «Vederti in questo stato mi fa male al cuore», aggiunsi. «Anche se mi rifiuti come madre io non ti rifiuto come figlia. Vorrei aiutarti, se tu non **mi vieni incontro** non posso farlo.» A quel punto il **mento** cominciò a **tremarle** come faceva da bambina quando stava per piangere, strappò le sue mani dalle mie e **si voltò di scatto** verso l'angolo. Il suo corpo magro e **contratto** era **scosso da singhiozzi profondi**. Le **accarezzai** i capelli, tanto le sue mani erano **ghiacciate** altrettanto la sua testa era **bollente**. Si girò di scatto, mi abbracciò, con il viso nascosto sulla mia spalla. «Mamma», disse, «io... io...»

In quel preciso istante **squillò** il telefono.

«Lascialo suonare», le **bisbigliai** in un orecchio.

«Non posso», mi rispose **asciugandosi** gli occhi.

79

ricevitore   receiver

Uscimmo   (*passato remoto*) We left
colpevole   guilty

palo   pole
in sella   on the saddle/seat
lasciapassare   permit, safe-conduct pass

ennesima volta   umpteenth time
è risuonato   came to mind
La lingua batte dove il dente duole   The tongue returns to
the tooth that aches
Cosa mai c'entra   Whatever does this have to do with it

mettere in atto   put into action
scoppiata a piangere   burst into tears
spiraglio   crack
fessura minima   tiny gap
chiodi   nails
si allargano   expand
si dilatano   they dilate
guadagnando   gaining

a bussare   knocking
varco   passageway
vigliaccheria   cowardice
pigrizia   laziness
falso senso del pudore   false sense of modesty
invadenza   invasiveness

80

Quando sollevò il **ricevitore** la sua voce era nuovamente metallica, estranea. Dal breve dialogo capii che doveva essere successo qualcosa di grave. Infatti subito dopo mi disse: «Mi dispiace, adesso te ne devi proprio andare». **Uscimmo** assieme, sulla porta si abbandonò a un abbraccio rapidissimo e **colpevole**. «Nessuno mi può aiutare», bisbigliò mentre mi stringeva. La accompagnai alla sua bicicletta legata a un **palo** poco distante. Era già **in sella** quando infilando due dita sotto la mia collana disse: «Le perle, eh, sono il tuo **lasciapassare**. Da quando sei nata non hai mai avuto il coraggio di fare un passo senza!».

A tanti anni di distanza questo è l'episodio della vita con tua madre che mi torna con più frequenza in mente. Ci penso spesso. Com'è possibile, mi dico, che di tutte le cose vissute assieme, nei miei ricordi compaia per prima sempre questa? Proprio oggi, mentre me lo domandavo per l'**ennesima volta,** dentro di me **è risuonato** un proverbio *"***La lingua batte dove il dente duole** *".* **Cosa mai** c'**entra,** ti chiederai. C'entra, c'entra moltissimo. Quell'episodio torna spesso tra i miei pensieri perché è l'unico in cui ho avuto la possibilità di **mettere in atto** un cambiamento. Tua madre era **scoppiata a piangere,** mi aveva abbracciata: in quel momento nella sua corazza si era aperto uno **spiraglio**, una **fessura minima** nella quale io avrei potuto entrare. Una volta dentro avrei potuto fare come quei **chiodi** che **si allargano** non appena entrano nel muro: a poco a poco **si dilatano guadagnando** un po' più di spazio. Mi sarei trasformata in un punto fermo nella sua vita. Per farlo avrei dovuto avere polso. Quando lei mi ha detto «devi proprio andartene» sarei dovuta rimanere. Avrei dovuto prendere una camera in un albergo lì vicino e tornare ogni giorno **a bussare** alla sua porta; insistere fino a trasformare quello spiraglio in un **varco**. Mancava pochissimo, lo sentivo.

Invece non l'ho fatto: per **vigliaccheria**, **pigrizia** e **falso senso del pudore** ho obbedito al suo ordine. Avevo detestato l'**invadenza** di mia madre, volevo essere una madre diversa,

noncuranza indifference, carelessness
coinvolti involved
confine sottilissimo very thin border
un attimo a moment
trascorso already passed
ti penti you regret [it]
agire to act
non si addice doesn't suit
pigri lazy people
pienezza full expression
indolenza indolence, laziness
abito garment, dress
destino fate, destiny
non ci si pensa one doesn't think about it
accade happens
propria volontà one's own will
operaio construction worker
pietra stone
percorrere to follow
ti accorgi you realize
tracciata traced or marked out the path
pericoloso dangerous

dritta straight
bivi forks in the road
freccia arrow
dipartiva branched off
viottolo path
erbosa grassy
boschi woods
imboccata took that way
accorgertene even realizing it
condotto conducted, carried
rimpianto regret

rispettare la libertà della sua vita. Dietro la maschera della libertà spesso si nasconde la **noncuranza**, il desiderio di non essere **coinvolti**. C'è un **confine sottilissimo**, passarlo o non passarlo è questione di **un attimo**, di una decisione che si prende o non si prende; della sua importanza ti rendi conto soltanto quando l'attimo è **trascorso**. Solo allora **ti penti**, solo allora comprendi che in quel momento non ci doveva essere libertà ma intrusione: eri presente, avevi coscienza, da questa coscienza doveva nascere l'obbligo ad **agire**. L'amore **non si addice** ai **pigri**, per esistere nella sua **pienezza** alle volte richiede gesti precisi e forti. Capisci? Avevo mascherato la mia vigliaccheria e la mia **indolenza** con l'**abito** nobile della libertà.

L'idea del **destino** è un pensiero che viene con l'età. Quando si hanno i tuoi anni generalmente **non ci si pensa**, ogni cosa che **accade** la si vede come frutto della **propria volontà**. Ti senti come un **operaio** che, **pietra** dopo pietra, costruisce davanti a sé la strada che dovrà **percorrere**. Soltanto molto più in là **ti accorgi** che la strada è già fatta, qualcun altro l'ha **tracciata** per te, e a te non resta che andare avanti. È una scoperta che di solito si fa verso i quarant'anni, allora cominci a intuire che le cose non dipendono da te soltanto. È un momento **pericoloso**, durante il quale non è raro scivolare in un fatalismo claustrofobico. Per vedere il destino in tutta la sua realtà devi lasciar passare ancora un po' di anni. Verso i sessanta, quando la strada alle tue spalle è più lunga di quella che hai davanti, vedi una cosa che non avevi mai visto prima: la via che hai percorso non era **dritta** ma piena di **bivi**, ad ogni passo c'era una **freccia** che indicava una direzione diversa; da lì si **dipartiva** un **viottolo**, da là una stradina **erbosa** che si perdeva nei **boschi**. Qualcuna di queste deviazioni l'hai **imboccata** senza **accorgertene**, qualcun'altra non l'avevi neanche vista; quelle che hai trascurato non sai dove ti avrebbero **condotto**, se in un posto migliore o peggiore; non lo sai ma ugualmente provi **rimpianto**. Potevi fare una cosa e non l'hai fatta, sei tornata indietro invece di andare avanti. Il

gioco dell'oca a children's board game similar to Chutes and Ladders®

pressappoco more or less

viverle a fondo live them out to the fullest

lasciarle perdere leave them be, let them go

proseguire carrying on

gioco dell'oca, te lo ricordi? La vita procede **pressappoco** allo stesso modo.

Lungo i bivi della tua strada incontri le altre vite, conoscerle o non conoscerle, **viverle a fondo** o **lasciarle perdere** dipende soltanto dalla scelta che fai in un attimo; anche se non lo sai, tra **proseguire** dritto o deviare spesso si gioca la tua esistenza, quella di chi ti sta vicino.

è sceso il vento   the wind picked up (*literally:* the wind fell)

spazzato via   swept away

La bora   name for the strong wind that often blows in off the
  Adriatic around Trieste

soffiava   blew

si infilava   it crept in

pigna   pinecone

trotterellava   he trotted around

lanciargliela   throw it for him [to fetch]

noce, ciliegio   walnut tree, cherry tree

accarezzare i tronchi   caress or stroke the tree trunks

dorso di un cavallo   horse's back

essere vivente   living thing

anzi   moreover

persino   even

scrollavi le spalle   you shrugged your shoulders

gratto   I scratch

vibrante   vibrating

raggiungimento   achievement

radici   roots

chioma   foliage

linfa   sap

Questa notte il tempo è cambiato, da est **è sceso il vento**, in poche ore ha **spazzato via** tutte le nubi. Prima di mettermi a scrivere ho fatto una passeggiata in giardino. **La bora soffiava** ancora forte, **si infilava** sotto i vestiti. Buck era euforico, voleva giocare, con una **pigna** in bocca mi **trotterellava** accanto. Con le mie poche forze sono riuscita a **lanciargliela** soltanto una volta, ha fatto un volo brevissimo ma lui era contento lo stesso. Dopo aver controllato le condizioni di salute della tua rosa sono andata a salutare il **noce,** il **ciliegio**, i miei alberi preferiti.

Ti ricordi come mi prendevi in giro quando mi vedevi ferma ad **accarezzare i tronchi**? «Cosa fai?» mi dicevi, «non è mica il **dorso di un cavallo.**» Quando poi ti facevo notare che toccare un albero non è per niente diverso dal toccare un qualsiasi altro **essere vivente, anzi** è **persino** meglio, **scrollavi le spalle** e te ne andavi via irritata. Perché è meglio? Perché se **gratto** la testa di Buck, ad esempio, sento sì qualcosa di caldo, di **vibrante**, ma in questo qualcosa c'è sempre sotto una sottile agitazione. È l'ora della pappa, che è troppo vicina o troppo lontana, è la nostalgia di te oppure anche soltanto il ricordo di un brutto sogno. Capisci? Nel cane, come nell'uomo, ci sono troppi pensieri, troppe esigenze. Il **raggiungimento** della quiete e della felicità non dipende mai da lui soltanto.

Nell'albero invece è diverso. Da quando spunta a quando muore, sta fermo sempre nello stesso posto. Con le **radici** è vicino al cuore della terra più di qualunque altra cosa, con la sua **chioma** è il più vicino al cielo. La **linfa** scorre al suo interno

si ritrae it goes back/withdraws

che gli consentono that allow it

volontà will

saldezza firmness, strength

pacato placid, calm

Bibbia Bible

narici nostrils

irriverente irreverent

sembianza likeness

Essere Divino Divine Being

quercia oak tree

abbracciarne hug its

l'umidità the dampness (*literally:* humidity)

mio sedere my bottom

Respiravo I breathed

ordine superiore superior order

compresa a part of, included

ritornello a refrain

mantice a pair of bellows

soffiasse were blowing

potente powerful

intuisca intuits, grasps intuitively

siamo abituati we're used to

cecità blindness

mancanza lacking

ricchezza richness

neonato newborn baby

te ne capita l'occasione if you happen to get the chance

inconsapevole unaware

sapiente knowing, wise

dall'alto al basso, dal basso all'alto. Si espande e **si ritrae** secondo la luce del giorno. Aspetta la pioggia, aspetta il sole, aspetta una stagione e poi l'altra, aspetta la morte. Nessuna delle cose **che gli consentono** di vivere dipende dalla sua **volontà**. Esiste e basta. Capisci adesso perché è bello accarezzarli? Per la **saldezza**, per il loro respiro così lungo, **pacato**, così profondo. In qualche punto della **Bibbia** c'è scritto che Dio ha **narici** larghe. Anche se è un po' **irriverente**, tutte le volte che ho cercato di immaginare una **sembianza** per l'**Essere Divino** mi è venuta in mente la forma di una **quercia**.

Nella casa della mia infanzia ce n'era una, era così grande che ci volevano due persone per **abbracciarne** il tronco. Già a quattro o cinque anni, mi piaceva andarla a trovare. Stavo lì, sentivo **l'umidità** dell'erba sotto il **mio sedere**, il vento fresco tra i capelli e sul viso. **Respiravo** e sapevo che c'era un **ordine superiore** delle cose e che in quell'ordine ero **compresa** assieme a tutto ciò che vedevo. Anche se non conoscevo la musica, qualcosa mi cantava dentro. Non saprei dirti che tipo di melodia fosse, non c'era un **ritornello** preciso né un'aria. Piuttosto era come se un **mantice soffiasse** con ritmo regolare e **potente** nella zona vicina al mio cuore e questo soffio, espandendosi dentro tutto il corpo e nella mente, producesse una gran luce, una luce con una doppia natura: quella sua, di luce, e quella di musica. Ero felice di esistere e oltre questa felicità per me non c'era altro.

Ti potrà sembrare strano o eccessivo che un bambino **intuisca** qualcosa del genere. Purtroppo **siamo abituati** a considerare l'infanzia come un periodo di **cecità**, di **mancanza**, non come uno in cui c'è più **ricchezza**. Eppure basterebbe guardare con attenzione gli occhi di un **neonato** per rendersi conto che è proprio così. L'hai mai fatto? Prova quando **te ne capita l'occasione**. Togli i pregiudizi dalla mente e osservalo. Com'è il suo sguardo? Vuoto, **inconsapevole**? Oppure antico, lontanissimo, **sapiente**? I bambini hanno naturalmente in sé

pasticci messes
scegliere choosing
ore di religione religion/catechism classes
sul da farsi about what to do

criceto hamster
perplessa puzzled, confused
tra le nuvole among the clouds
seppellito buried
Inginocchiata On your knees, Kneeling
tumulo tumulus, mound of dirt over burial site
suore nuns
un danno da poco a small bit of damage
ballerina (*slang*) flighty
collegio boarding school
allestito set up
Gesù Jesus
capanna hut, shed
bue e l'asinello ox and donkey
dirupi precipices
cartapesta papier-mâché
gregge flock
allieva pupil
allontanata o avvicinata moved away or brought closer
costrette constrained, forced
Dal lato opposto On the opposite side
burrone ravine
le più cattive the naughtiest [girls]
zampette little legs

un respiro più grande, siamo noi adulti che l'abbiamo perso e non sappiamo accettarlo. A quattro, cinque anni io ancora non sapevo nulla della religione, di Dio, di tutti quei **pasticci** che hanno fatto gli uomini parlando di queste cose.

Sai, quando si è trattato di **scegliere** se farti seguire o meno le **ore di religione** a scuola sono stata a lungo indecisa **sul da farsi**. Da una parte ricordavo quanto era stato catastrofico il mio impatto con i dogmi, dall'altra ero assolutamente certa che nell'educazione, oltre che alla mente, bisognasse pensare anche allo spirito. La soluzione è venuta da sé, il giorno stesso in cui è morto il tuo primo **criceto**. Lo tenevi in mano e mi guardavi **perplessa**. «Dov'è adesso?» mi hai chiesto. Io ti ho risposto ripetendo la domanda: «Secondo te, dov'è adesso?». Ti ricordi cosa mi hai risposto? «Lui è in due posti. Un po' è qui, un po' **tra le nuvole**.» Il pomeriggio stesso l'abbiamo **seppellito** con un piccolo funerale. **Inginocchiata** davanti al piccolo **tumulo** hai detto la tua preghiera: «Sii felice, Tony. Un giorno ci rivedremo».

Forse non te l'ho mai detto, ma i primi cinque anni di scuola li ho fatti dalle **suore**, all'istituto del Sacro Cuore. Questo, credimi, non è stato **un danno da poco** per la mia mente già così **ballerina**. Nell'ingresso del **collegio** le suore tenevano **allestito** per tutta la durata dell'anno un grande presepio. C'era **Gesù** nella sua **capanna** con il padre, la madre, il **bue e l'asinello** e tutto intorno monti e **dirupi** di **cartapesta** popolati soltanto da un **gregge** di pecorelle. Ogni pecorella era un'**allieva** e, a seconda del suo comportamento durante il giorno, veniva **allontanata o avvicinata** alla capanna di Gesù. Tutte le mattine prima di andare in classe passavamo lì davanti e passando eravamo **costrette** a guardare la nostra posizione. **Dal lato opposto** alla capanna c'era un **burrone** profondissimo ed era lì che stavano **le più cattive**, con due **zampette** già sospese nel vuoto. Dai sei ai dieci anni ho vissuto condizionata dai passi che faceva il mio agnellino. Ed è inutile che ti dica che non si è

mosso moved

ciglio edge

conformismo conformity

mentire tell lies

vanitosi vain

procinto at the point of

Per cose da nulla Over nothing at all

ennesimo umpteenth

spostamento change in position

fiocco bow

canticchiare hum/sing a tune

esteriori exterior, on the outside

coerenza consistency

estremo utmost (*literally:* extreme)

scoppiai in singhiozzi (*passato remoto*) I burst into sobs

oltre che disordinata besides being untidy

bugiarda a liar

terresti you would keep

quaderni notebooks

puffeté (*baby talk*) Oops-a-daisy

indice index finger

fece precipitare (*passato remoto*) *here:* she flicked [it off]

stoffa material, cover

ghignavano sneering, laughing derisively

in volto in the face

esaurimento breakdown

ingoiavo I swallowed

cucchiai spoonfuls, *or, if you prefer:* spoonsful

ricostituente tonic

allontanate *here:* abandoned, turned away from

rimpiangerli looking back on them with regret [that they're over]

interdetta taken aback

quasi mai **mosso** dal **ciglio** del dirupo.

Dentro di me, con tutta la volontà, cercavo di rispettare i comandamenti che mi erano stati insegnati. Lo facevo per quel naturale senso di **conformismo** che hanno i bambini, ma non soltanto per quello: ero davvero convinta che bisognasse essere buoni, non **mentire**, non essere **vanitosi**. Nonostante ciò ero sempre in **procinto** di cadere. Perché? **Per cose da nulla.** Quando in lacrime andavo dalla madre superiora a chiedere la ragione di quell'**ennesimo spostamento**, lei mi rispondeva: «Perché ieri in testa avevi un **fiocco** troppo grande... Perché uscendo da scuola una tua compagna ti ha sentito **canticchiare**... Perché non ti sei lavata le mani prima di andare a tavola». Capisci? Ancora una volta le mie colpe erano **esteriori**, uguali identiche a quelle che mi imputava mia madre. Ciò che veniva insegnato non era la **coerenza** ma il conformismo. Un giorno, arrivata al limite **estremo** del burrone, **scoppiai in singhiozzi** dicendo: «Ma io amo Gesù». Allora la suora che stava lì vicino sai cosa disse? «Ah, **oltre che disordinata** sei anche **bugiarda**. Se tu amassi davvero Gesù **terresti** i **quaderni** più in ordine.» E **puffeté**, spingendo con l'**indice fece precipitare** la mia pecorella giù nel burrone.

In seguito a quell'episodio credo di non aver dormito per due mesi interi. Appena chiudevo gli occhi sentivo la **stoffa** del materasso sotto la schiena trasformarsi in fiamme e delle voci orrende **ghignavano** dentro di me dicendo: "Aspetta, adesso veniamo a prenderti". Naturalmente di tutto questo non ho raccontato mai niente ai miei genitori. Vedendomi gialla **in volto** e nervosa mia madre diceva: «La bambina ha l'**esaurimento**», e io senza fiatare **ingoiavo cucchiai** su cucchiai di sciroppo **ricostituente**.

Chissà quante persone sensibili e intelligenti si sono **allontanate** per sempre dalle questioni dello spirito grazie a episodi come questo. Tutte le volte che sento qualcuno dire com'erano belli gli anni di scuola e **rimpiangerli** resto **interdetta**.

93

impotenza helplessness, impotence
dominava gripped (*literally:* dominated)
combattuta undecided, torn between
ferocemente ferociously
fedele loyal
ciò that which
aderire adhere
intuissi (*passato remoto*) I understood
rivivendo reliving
crisi di crescita growing pains
avvenuta happen
stabilità stability
metafisiche metaphysical
piano piano slowly but surely
innocue harmless
Andavo a messa I went to mass
le feste comandate holy days of obligation
inginocchiavo I kneeled
compunta solemn, contrite
prendere l'ostia take communion
recite performances
iscritta signed up for
mai mi sono pentita I never regretted
mi ponevi delle domande you posed questions to me
sereno serene, calm
mistero mystery, the unknown
ognuno each of us
con discrezione discretely, tactfully
smesso stopped
venditori ambulanti street vendors
reclamizzano they advertise
sospetto suspicion
truffa swindle, rip off
spegnere blow out, turn off
il mio cammino my journey
semplice simple
avvolge envelops

Per me quel periodo è stato uno dei più brutti della mia vita, anzi forse il più brutto in assoluto per il senso di **impotenza** che lo **dominava**. Per tutta la durata delle elementari sono stata **combattuta ferocemente** tra la volontà di restare **fedele** a **ciò** che sentivo dentro di me e il desiderio di **aderire**, sebbene lo **intuissi** come falso, a ciò che credevano gli altri.

È strano, ma **rivivendo** adesso le emozioni di quel tempo ho l'impressione che la mia grande **crisi di crescita** non sia **avvenuta**, come avviene sempre, nell'adolescenza, ma proprio in quegli anni di infanzia. A dodici, a tredici, a quattordici anni ero già in possesso di una mia triste **stabilità**. Le grandi domande **metafisiche** si erano **piano piano** allontanate per lasciare spazio a fantasie nuove e **innocue**. **Andavo a messa** la domenica e **le feste comandate** assieme a mia madre, mi **inginocchiavo** con aria **compunta** a **prendere l'ostia,** mentre lo facevo però pensavo ad altre cose; quella era soltanto una delle tante piccole **recite** che dovevo interpretare per vivere tranquilla. Per questo non ti ho **iscritta** all'ora di educazione religiosa né **mai mi sono pentita** di non averlo fatto. Quando, con la tua curiosità infantile, **mi ponevi delle domande** su quest'argomento, cercavo di risponderti in modo diretto e **sereno**, rispettando il **mistero** che c'è in **ognuno** di noi. E quando non mi hai più fatto domande, **con discrezione** ho **smesso** di parlartene. In queste cose non si può spingere o tirare, altrimenti succede la stessa cosa che succede con i **venditori ambulanti**. Più **reclamizzano** il loro prodotto, più si ha il **sospetto** che sia una **truffa**. Con te io ho cercato soltanto di non **spegnere** quello che già c'era. Per il resto ho atteso.

Non credere però che **il mio cammino** sia stato così **semplice;** anche se a quattro anni avevo intuito il respiro che **avvolge**

scordato forgotten

torrente stream
gola gorge
ciglio del burrone edge of the ravine
sta per rompersi is about to break down

non perdevano occasione they never missed the chance
rimproverarmi scold me
abitudine canterina habit of singing
addirittura even
schiaffo slap
mi era scappato slipped out, escaped
tuonato thundered
incalzato followed swiftly
si staccasse separated itself, removed from

conservassi held onto, kept

scomparsa disappeared

rimpianto regretted

invece instead
brucia it burns

si aspettavano had expectations
diventassi I would become
carattere character
provarlo experience it yourself
apprezzato appreciated

le cose, a sette l'avevo già **scordato**. Nei primi tempi, è vero, sentivo ancora la musica, era in sottofondo ma c'era. Sembrava un **torrente** in una **gola** di montagna, se stavo ferma e attenta, dal **ciglio del burrone** riuscivo a percepire il suo rumore. Poi, il torrente si è trasformato in una vecchia radio, una radio che **sta per rompersi**. Un momento la melodia esplodeva troppo forte, il momento dopo non c'era per niente.

Mio padre e mia madre **non perdevano occasione** di **rimproverarmi** per la mia **abitudine canterina**. Una volta, durante un pranzo, ho **addirittura** preso uno **schiaffo** – il mio primo schiaffo – perché **mi era scappato** un "tralalà". «Non si canta a tavola», aveva **tuonato** mio padre. «Non si canta se non si è cantanti», aveva **incalzato** mia madre. Io piangevo e ripetevo tra le lacrime: «Ma a me mi canta dentro». Qualsiasi cosa **si staccasse** dal mondo concreto della materia, per i miei genitori era assolutamente incomprensibile. Com'era possibile allora che **conservassi** la mia musica? Avrei dovuto avere almeno il destino di un santo. Il mio destino, invece, era quello crudele della normalità.

Piano piano la musica è **scomparsa** e con lei il senso di gioia profonda che mi aveva accompagnata nei primi anni. La gioia, sai, è proprio questa la cosa che ho più **rimpianto**. In seguito, certo, sono stata anche felice, ma la felicità sta alla gioia come una lampada elettrica sta al sole. La felicità ha sempre un oggetto, si è felici di qualcosa, è un sentimento la cui esistenza dipende dall'esterno. La gioia **invece** non ha oggetto. Ti possiede senza alcuna ragione apparente, nel suo essere somiglia al sole, **brucia** grazie alla combustione del suo stesso cuore.

Nel corso degli anni ho abbandonato me stessa, la parte più profonda di me, per diventare un'altra persona, quella che i miei genitori **si aspettavano** che **diventassi**. Ho lasciato la mia personalità per acquistare un **carattere**. Il carattere, avrai modo di **provarlo**, è molto più **apprezzato** nel mondo di quanto lo sia la personalità.

contrariamente a quanto si crede contrary to popular belief

esclude excludes

perentoriamente absolutely, peremptorily

incrinare damage, undermine

mi provocasse trasporto triggered a real passion in me

tentennavo I hesitated

indugiavo I procrastinated

spazientito having lost patience

processo naturale natural process

fingere fake

in fondo a me in the depths of my being

per essere amata in order to be loved

adeguarsi to conform to, adapt

Detestavo I loathed, I detested

lentamente slowly

proprio come lei just like her

ricatto blackmail

sfuggire to escape from

scompare disappear, vanish

riaffiora it blooms

lo voglia you want it

plasma it shapes/molds

imporre impose

imposto imposed

scegliere choose

non facevo altro I did nothing but

rispettarci respect each other

avere stima di me have any self-respect

Ma carattere e personalità, **contrariamente a quanto si crede**, non vanno assieme anzi, il più delle volte uno **esclude perentoriamente** l'altra. Mia madre, ad esempio, aveva un forte carattere, era sicura di ogni sua azione e non c'era niente, assolutamente niente, che potesse **incrinare** questa sua sicurezza. Io ero il suo esatto contrario. Nella vita di ogni giorno non c'era una sola cosa che **mi provocasse trasporto**. Davanti a ogni scelta **tentennavo, indugiavo** così a lungo che alla fine chi mi era accanto, **spazientito**, decideva per me.

Non credere che sia stato un **processo naturale** lasciare la personalità per **fingere** un carattere. Qualcosa **in fondo a me** continuava a ribellarsi, una parte desiderava continuare a essere me stessa mentre l'altra, **per essere amata**, voleva **adeguarsi** alle esigenze del mondo. Che dura battaglia! **Detestavo** mia madre, il suo modo di fare superficiale e vuoto. La detestavo, eppure **lentamente** e contro la mia volontà, stavo diventando **proprio come lei**. Questo è il **ricatto** grande e terribile dell'educazione, quello a cui è quasi impossibile **sfuggire**. Nessun bambino può vivere senza amore. È per questo che ci si adegua al modello richiesto, anche se non ti piace per niente, anche se non lo trovi giusto. L'effetto di questo meccanismo non **scompare** con l'età adulta. Appena sei madre **riaffiora** senza che tu te ne renda conto o **lo voglia, plasma** di nuovo le tue azioni. Così io quando è nata tua madre, ero assolutamente certa che mi sarei comportata in modo diverso. E in effetti così ho fatto, ma questa diversità era tutta di superficie, falsa. Per non **imporre** un modello a tua madre, così com'era stato **imposto** a me in anticipo sui tempi, l'ho sempre lasciata libera di **scegliere**, volevo che si sentisse approvata in tutte le sue azioni, **non facevo altro** che ripeterle: «Siamo due persone diverse e nella diversità dobbiamo **rispettarci**».

C'era un errore in tutto questo, un grave errore. E sai qual era? Era la mia mancanza di identità. Anche se ero ormai adulta, non ero sicura di niente. Non riuscivo ad amarmi, ad **avere stima di me**.

sensibilità sottile fine/subtle sensitivity

caratterizza characterizes

percepito perceived

sopraffare overwhelm, get the better of

rapporto relationship (*literally:* rapport)

sua pianta infestante the plant that is infesting it

spunta spurts out

barbe fine roots

filamenti filaments, fine stalks

ventose suckers (*i.e.,* suction pads)

si arrampica it climbs up

in cima at the top

chioma foliage

ospite host

diffondersi spread itself out

abbarbicarsi cling to it

interamente entirely

inaridisce starts to dry out

muore dies

misero sostegno wretched support system

rampicante creeper, climbing plant

scomparsa death (*literally:* disappearance)

mi accusavo I reproached myself

sconfitta defeat

Soltanto Only

ossessionarmi I became obsessed with [it]

contrastarla disagree with/oppose her

Hai torto marcio You're dead wrong (*literally:* you're mistaken rotten!)

stai commettendo una sciocchezza you're making a really foolish mistake (*literally:* you're committing an idiocy)

pericolosissimi very dangerous

stroncare put a stop to it

mi astenevo dall'intervenire I refrained from intervening

Non c'entrava It had nothing to do with

l'indolenza laziness [on my part]

Grazie alla **sensibilità sottile** e opportunista che **caratterizza** i bambini, tua madre l'ha **percepito** quasi subito: ha sentito che ero debole, fragile, facile da **sopraffare**. L'immagine che mi viene in mente, pensando al nostro **rapporto**, è quella di un albero e della **sua pianta infestante**. L'albero è più vecchio, più alto, sta lì da tempo e ha radici più profonde. La pianta **spunta** ai suoi piedi in una sola stagione, più che radici ha **barbe, filamenti**. Sotto ogni filamento ha delle piccole **ventose**, è con quelle che **si arrampica** su per il tronco. Trascorso un anno o due, è già **in cima** alla **chioma**. Mentre il suo **ospite** perde le foglie, lei resta verde. Continua a **diffondersi**, ad **abbarbicarsi**, lo copre **interamente**, il sole e l'acqua colpiscono lei soltanto. A questo punto l'albero **inaridisce** e **muore**, resta lì sotto soltanto il tronco come **misero sostegno** per la pianta **rampicante**.

Dopo la sua tragica **scomparsa**, per diversi anni non ho più pensato a lei. Alle volte mi rendevo conto di averla dimenticata e **mi accusavo** di crudeltà. C'eri tu da seguire, è vero, ma non credo fosse questo il vero motivo, o forse lo era in parte. Il senso di **sconfitta** era troppo grande per poterlo ammettere. **Soltanto** negli ultimi anni, quando tu hai cominciato ad allontanarti, a cercare la tua strada, il pensiero di tua madre mi è tornato in mente, ha preso a **ossessionarmi**. Il rimorso più grande è quello di non avere mai avuto il coraggio di **contrastarla**, di non averle mai detto: «**Hai torto marcio, stai commettendo una sciocchezza**». Sentivo che nei suoi discorsi c'erano degli slogan **pericolosissimi**, cose che, per il suo bene, avrei dovuto **stroncare** immediatamente e tuttavia **mi astenevo dall'intervenire. Non c'entrava l'indolenza** in questo. Le cose

agire make a move, take action

atteggiamento attitude

insegnatomi taught me

prepotente full of herself, arrogant

oppormi stand up to her

indignarmi get indignant

durezza hardness, force

costringerla force her to

affatto at all

forza strength

svolti happened, taken place

conoscersi in profondità truly know oneself

nascoste hidden

accettare accept

compiere un processo del genere undertake this sort of thing

ti trascina avanti drags you forward

fin dall'inizio at the onset, from the start

toccato da doti straordinarie extraordinarily gifted

comuni mortali mere mortals

ad un tratto all of a sudden

ti butta throws you

andare a fondo sinking to the bottom

galleggi you float

scivoli svelto you slide swiftly

corrente current

nodo di radici knot of roots

sasso stone

sosta a pause, a break

sbatacchiato pounded

vieni sommerso you're submerged

mai te lo sei chiesto you never even asked yourself

quieti calm, quiet

argini the riverbanks

cespugli bushes

si abbassano lower

i bordi its banks

di cui si discuteva erano essenziali. A farmi **agire** – o meglio non agire – era l'**atteggiamento insegnatomi** da mia madre. Per essere amata dovevo evitare lo scontro, fingere di essere quella che non ero. Ilaria era naturalmente **prepotente**, aveva più carattere e io temevo lo scontro aperto, avevo paura di **oppormi**. Se l'avessi amata davvero, avrei dovuto **indignarmi**, trattarla con **durezza**; avrei dovuto **costringerla** a fare delle cose o a non farle **affatto**. Forse era proprio questo che lei voleva, ciò di cui aveva bisogno.

Chissà perché le verità elementari sono le più difficili da comprendere? Se io avessi capito allora che la prima qualità dell'amore è la **forza**, gli eventi probabilmente si sarebbero **svolti** in modo diverso. Ma per essere forti bisogna amare se stessi; per amare se stessi bisogna **conoscersi in profondità**, sapere tutto di sé, anche le cose più **nascoste**, le più difficili da **accettare**. Come si fa a **compiere un processo del genere** mentre la vita con il suo rumore **ti trascina avanti**? Lo può fare **fin dall'inizio** soltanto chi è **toccato da doti straordinarie**. Ai **comuni mortali**, alle persone come me, come tua madre, non resta altro che il destino dei rami e delle bottiglie di plastica. Qualcuno – o il vento – **ad un tratto ti butta** nel corso di un fiume, grazie alla materia di cui sei fatto invece di **andare a fondo galleggi**; già questo ti sembra una vittoria e così, subito, cominci a correre; **scivoli svelto** nella direzione in cui ti porta la **corrente**; ogni tanto, per un **nodo di radici** o qualche **sasso**, sei costretto a una **sosta**; stai lì per un po' **sbatacchiato** dall'acqua poi l'acqua sale e ti liberi, vai ancora avanti; quando il corso è tranquillo stai sopra, quando ci sono le rapide **vieni sommerso**; non sai dove stai andando né **mai te lo sei chiesto**; nei tratti più **quieti** hai modo di vedere il paesaggio, gli **argini**, i **cespugli**; più che i dettagli, vedi le forme, il tipo di colore, vai troppo svelto per vedere altro; poi con il tempo e i chilometri, gli argini **si abbassano**, il fiume si allarga, ha ancora **i bordi** ma per poco. «Dove sto andando?» ti domandi allora e in

nuotare swimming

annaspato floundered

tenermi a galla keep my head above water

sarai stufata you'll be sick and tired/fed up

sbuffando huffing [in exasperation]

sfogliato una pagina dopo l'altra turned one page after the other

divago I digress, stray from the point

via principale main road

imbocco umili sentieri I head down simple (*literally:* humble) lanes/paths

essermi persa have gotten lost

cammino journey

richiede requires

tu tanto cerchi you're desperately seeking

centro center [of existence], meaning

tranne al fatto except for the fact

ricadere dritte fall straight back

padella frying pan

stare certa be certain

accartocciate rolled up, folded over

spiaccicheranno direttamente sul fornello they'll end up splattered all over the burner

giungere reach

Brontola It's complaining

ti spedisco I'm sending you

odiato hated

quell'istante davanti a te si apre il mare.

Gran parte della mia vita è stata così. Più che **nuotare** ho **annaspato**. Con gesti insicuri e confusi, senza eleganza né gioia, sono riuscita soltanto a **tenermi a galla**.

Perché ti scrivo tutto questo? Cosa significano queste confessioni lunghe e troppo intime? A questo punto forse ti **sarai stufata, sbuffando** avrai **sfogliato una pagina dopo l'altra**. Dove vuole andare, ti sarai chiesta, dove mi porta? È vero, nel discorso **divago**, invece di prendere la **via principale** spesso e volentieri **imbocco umili sentieri**. Do l'impressione di **essermi persa** e forse non è un'impressione: mi sono persa davvero. Ma è questo il **cammino** che **richiede** quello che **tu tanto cerchi**, il **centro**.

Ti ricordi quando ti insegnavo a cucinare le crêpe? Quando le fai saltare in aria, ti dicevo, devi pensare a tutto **tranne al fatto** che devono **ricadere dritte** nella **padella**. Se ti concentri sul volo puoi **stare certa** che cadranno **accartocciate**, oppure si **spiaccicheranno direttamente sul fornello**. È buffo, ma è proprio la distrazione che fa **giungere** al centro delle cose, al loro cuore.

Invece del cuore adesso è il mio stomaco a prendere la parola. **Brontola** e ha ragione perché tra una crêpe e un viaggio lungo il fiume è venuta l'ora di cena. Adesso ti devo lasciare ma prima di lasciarti **ti spedisco** un altro **odiato** bacio.

vittima victim

angelo custode guardian angel

fino in fondo right to the end [of the garden]

pollaio hen house

letame manure

costeggiavo I went by, I walked alongside

muretto little wall

ho scorto al suolo I glimpsed on the ground

scuro dark

pigna pinecone

merla female blackbird

acchiapparla to catch it

femore femur

colpo di genio stroke of genius

fazzoletto scarf

avvolta wrapped up, enveloped

stracci rags

capo head

agitata agitated, frightened

a mia volta myself (*literally:* in my turn)

spaurito panic-stricken

mi mette in imbarazzo embarrasses me

fatina fairy

comparisse (*subjunctive*) [she] appeared

accecandomi blinding me

fulgore brightness, splendor

l'Anello di Re Salomone King Solomon's Ring. According to ancient legend, the magical ring gave the wearer the power to command demons and converse with animals.

Il vento di ieri ha fatto una **vittima**, l'ho trovata stamattina durante la solita passeggiata in giardino. Quasi me l'avesse suggerito il mio **angelo custode**, invece di fare come sempre la semplice circumnavigazione della casa sono andata **fino in fondo**, lì dove una volta c'era il **pollaio** e ora c'è il deposito del **letame**. Proprio mentre **costeggiavo** il **muretto** che ci separa dalla famiglia di Walter **ho scorto al suolo** qualcosa di **scuro**. Poteva essere una **pigna** ma non lo era perché, a intervalli piuttosto regolari, si muoveva. Ero uscita senza occhiali e, soltanto quando gli sono stata proprio sopra mi sono accorta che si trattava di una giovane **merla**. Per **acchiapparla** ho quasi rischiato di rompermi il **femore**. Appena stavo per raggiungerla, faceva un saltino in avanti. Fossi stata più giovane, l'avrei presa in meno di un secondo ma adesso sono troppo lenta per farlo. Alla fine ho avuto un **colpo di genio**, mi sono tolta il **fazzoletto** dalla testa gliel'ho lanciato sopra. Così **avvolta** l'ho portata a casa e l'ho sistemata in una vecchia scatola da scarpe, all'interno ho messo dei vecchi **stracci** e sul coperchio ho fatto dei buchi, uno dei quali abbastanza grande per far uscire il **capo**.

Mentre scrivo sta qui davanti a me sul tavolo, ancora non le ho dato da mangiare perché è troppo **agitata**. A vederla agitata poi, mi agito **a mia volta**, il suo sguardo **spaurito mi mette in imbarazzo**. Se in questo momento scendesse una **fatina**, se **comparisse accecandomi** con il suo **fulgore** tra il frigorifero e la cucina economica, sai cosa le chiederei? Le chiederei **l'Anello di Re Salomone**, quel magico interprete che permette di parlare

cucciolotta little one
animato driven (*literally:* animated by)
sana healthy
prendere il volo take flight

prosaica parabola prosaic parable
richiedano require, demand
descritte described [appropriately]
altisonanti pompous, high sounding
cuscino pillow

contorto contorted, mixed up
oscuro obscure, gloomy
appartengo I am a part of, I belong to

zavorra dead wood, junk
ti confondano they confuse you
fuggendo fleeing
dietro di sé behind them
seppie cuttlefish (which leave a trail of black ink)

rimasta...colpita shocked, stunned
proponendomi suggesting to me
male minore lesser evil

con tutti gli animali del mondo. Così potrei dire alla merla: «Non preoccuparti, **cucciolotta** mia, sono sì un essere umano ma **animato** dalle migliori intenzioni. Ti curerò, ti darò da mangiare e quando sarai di nuovo **sana** ti farò **prendere il volo**».

Ma veniamo a noi. Ieri ci siamo lasciate in cucina, con la mia **prosaica parabola** delle crêpe. Quasi di sicuro ti avrà irritata. Quando si è giovani, si pensa sempre che le cose grandi **richiedano** – per essere **descritte** – parole ancora più grandi, **altisonanti**. Poco prima di partire mi hai fatto trovare sotto il **cuscino** una lettera in cui cercavi di spiegarmi il tuo disagio. Adesso che sei lontana posso dirti che, a parte appunto il senso di disagio, di quella lettera non ho capito proprio niente. Tutto era così **contorto, oscuro**. Io sono una persona semplice, l'epoca a cui **appartengo** è diversa da quella a cui appartieni tu: se una cosa è bianca dico che è bianca, se è nera, nera. La risoluzione dei problemi viene dall'esperienza di tutti i giorni, dal guardare le cose come sono realmente e non come, secondo qualcun altro, dovrebbero essere. Il momento in cui si comincia a buttare via la **zavorra**, a eliminare ciò che non ci appartiene, che viene dall'esterno, si è già sulla buona strada. Tante volte ho l'impressione che le letture che fai, invece di aiutarti **ti confondano**, che lascino del nero intorno a te come **fuggendo dietro di sé** lo lasciano le **seppie**.

Prima di decidere della tua partenza mi avevi posto un'alternativa. O vado un anno all'estero, oppure comincio ad andare da uno psicanalista. La mia reazione era stata dura, ricordi? Puoi andare via anche tre anni, ti ho detto, ma da uno psicanalista non ci andrai neanche una volta; non ti permetterei di andarci, neanche se lo pagassi tu. Eri **rimasta** molto **colpita** dalla mia reazione così estrema. In fondo, **proponendomi** lo psicanalista, credevi di propormi un **male minore**. Anche se non hai protestato in alcun modo, immagino che tu abbia pensato che ero troppo vecchia per capire queste cose o troppo

ti sbagli you're mistaken

prestissimo very early on

efficacia effectiveness
tuonava thundered
A nulla valevano They were all for naught
caparbietà stubbornness
derivava came from (*literally:* derived)
rimozione repression
inequivocabile unequivocally
vermi worms

sbottava she came out with/burst out with

aneddoto anecdote
supposto tale something of that sort
seppur di riflesso even if only indirectly
svolgersi evolving

vige il segreto professionale *in effect:* is protected by client-patient privilege

ruotava intorno revolved around
che succedeva what was happening
Gelosia Jealousy
angustiava worried, troubled
schiava enslaved, a slave to

si recava she went

perplessa perplexed, confused

poco informata. Invece **ti sbagli**. Di Freud io avevo già sentito parlare da bambina. Uno dei fratelli di mio padre era medico e, avendo studiato a Vienna, era entrato **prestissimo** in contatto con le sue teorie. Ne era entusiasta e ogni volta che veniva a pranzo, cercava di convincere i miei genitori della loro **efficacia**. «Non mi farai mai credere che se sogno di mangiare degli spaghetti, ho paura della morte», **tuonava** allora mia madre. «Se sogno gli spaghetti, vuol dire una cosa sola, che ho fame.» **A nulla valevano** i tentativi dello zio di spiegarle che questa sua **caparbietà derivava** da una **rimozione**, che era **inequivocabile** il suo terrore della morte, perché gli spaghetti altro non erano che **vermi**, e vermi era quello che un giorno saremmo diventati tutti quanti. A quel punto sai cosa faceva mia madre? Dopo un attimo di silenzio con la sua voce da soprano **sbottava**: «E allora, se sogno i maccheroni?».

I miei incontri con la psicanalisi, però, non si esauriscono in questo **aneddoto** infantile. Tua madre si è curata da uno psicanalista o **supposto tale** per quasi dieci anni, quand'è morta ci stava ancora andando, così, **seppur di riflesso**, ho avuto modo di seguire giorno dopo giorno l'intero **svolgersi** del rapporto. All'inizio, a dire il vero, non mi raccontava niente, su queste cose, lo sai, **vige il segreto professionale**. Quello però che mi ha colpito subito – e in senso negativo – è stato l'immediato e totale senso di dipendenza. Già dopo un mese tutta la sua vita **ruotava intorno** a quell'appuntamento, a quello **che succedeva** in quell'ora tra lei e quel signore. **Gelosia**, dirai tu. Forse, è anche possibile, ma non era la cosa principale; quello che mi **angustiava** era piuttosto il disagio di vederla **schiava** di una nuova dipendenza, prima la politica e poi il rapporto con quel signore. Ilaria l'aveva conosciuto durante l'ultimo anno di soggiorno a Padova e infatti era proprio a Padova che **si recava** ogni settimana. Quando mi aveva comunicato questa nuova attività ero rimasta un po' **perplessa** e le avevo detto: «Credi proprio che sia necessario andare fino laggiù per trovare un buon medico?».

stato di crisi perpetua perpetual state of crisis; *in effect:* ongoing manic-depressive state

un passo avanti a step forward

si era affidata she had entrusted herself

delicatezza delicacy, sensitivity

troncando cutting short
sufficienza condescension
avevamo l'abitudine we used to, we had the habit of

voluta deliberate
accaduto happened

zitte dead silent

affetto warmth
interrogatorio interrogation
minuscoli tiny
insinuava dubbi she cast doubts/insinuated suspicion

commissario police commissioner
confessare un delitto confess a crime
spazientita having run out of patience
lievemente slightly
al capolinea back to the head of the line
tarpato le ali clipped [my] wings
acconsentii (*passato remoto*) I gave my consent
sottopormi undergo
fuoco di fila barrage

Da un lato la decisione di ricorrere a un medico per uscire dal suo **stato di crisi perpetua** mi dava una sensazione di sollievo. In fondo, mi dicevo, se Ilaria aveva deciso di domandare aiuto a qualcuno era già **un passo avanti**; dall'altro però, conoscendo la sua fragilità, ero in ansia per la scelta della persona a cui **si era affidata**. Entrare nella testa di qualcun altro è sempre un fatto di una **delicatezza** estrema. «Come l'hai trovato?» le chiedevo allora. «Te l'ha consigliato qualcuno?», ma lei come risposta alzava soltanto le spalle. «Cosa vuoi capire?» diceva **troncando** la frase con un silenzio di **sufficienza**.

Sebbene a Trieste vivesse in una casa per conto suo **avevamo l'abitudine** di vederci per pranzo almeno una volta la settimana. Fin dall'inizio della terapia i nostri dialoghi in queste occasioni erano stati di una grande e **voluta** superficialità. Parlavamo di cos'era **accaduto** in città, del tempo; se il tempo era bello e in città non era successo niente, stavamo quasi completamente **zitte**.

Già dopo il suo terzo o quarto viaggio a Padova, però, mi ero accorta di un cambiamento. Invece di parlare entrambe di niente, era lei a fare domande: voleva sapere tutto del passato, di me, di suo padre, dei nostri rapporti. Non c'era **affetto** nelle sue domande, curiosità: il tono era quello di un **interrogatorio**; ripeteva più volte la domanda insistendo su particolari **minuscoli**, **insinuava dubbi** su episodi che lei stessa aveva vissuto e ricordava benissimo; non mi sembrava di parlare con mia figlia, in quegli istanti, ma con un **commissario** che a ogni costo voleva farmi **confessare un delitto**. Un giorno, **spazientita**, le dissi: «Sii chiara, dimmi soltanto dove vuoi arrivare». Lei mi guardò con uno sguardo **lievemente** ironico, prese una forchetta, la batté sul bicchiere e quando il bicchiere fece *cling*, disse: «In un posto solo, **al capolinea**. Voglio sapere quando e perché tu e tuo marito mi avete **tarpato le ali**».

Quel pranzo fu l'ultimo nel quale **acconsentii** a **sottopormi** a quel **fuoco di fila** di domande; già la settimana seguente per

processo trial
coda di paglia guilty conscience (*literally:* straw tail)

stata al suo gioco played into her hand

colpevole guilty
riscatto redemption
Riparlai (*passato remoto*) I spoke again
parecchi a few
ritiri retreats
dimagrita slimmed down
un che di farneticante something of a wild rant

come se niente fosse as if it were nothing
fondato founded

preoccupazione vera e profonda a truly deep concern

non era la mancanza della laurea in sé a insospettirmi it
     wasn't just the fact that [he] didn't hold a graduate degree
     that aroused my suspicions
constatazione observation
peggiori condizioni worsening condition
malessere...benessere illness...well-being
ricadute relapses
consapevolezza self-awareness
smesso stopped
scrutare scrutinize
moti interiori inner workings
entomologo entomologist

telefono le dissi di venire pure ma a un patto, che tra noi invece di un **processo** ci fosse un dialogo.

Avevo la **coda di paglia**? Certo, avevo la coda di paglia, c'erano molte cose di cui avrei dovuto parlare con Ilaria ma non mi sembrava giusto né sano svelare cose così delicate sotto la pressione di un interrogatorio; se fossi **stata al suo gioco**, invece di inaugurare un rapporto nuovo tra due persone adulte, io sarei stata soltanto e per sempre **colpevole** e lei per sempre vittima, senza possibilità di **riscatto**.

Riparlai con lei della sua terapia **parecchi** mesi dopo. Ormai con il suo dottore faceva dei **ritiri** che duravano l'intero fine settimana; era molto **dimagrita** e nei suoi discorsi c'era **un che di farneticante** che non le avevo mai sentito prima. Le raccontai del fratello di suo nonno, dei suoi primi contatti con la psicanalisi e poi, **come se niente fosse** le chiesi: «Di che scuola è il tuo analista?». «Di nessuna», rispose lei, «o meglio di una che ha **fondato** lui da solo.»

Da quel momento, quella che fino allora era stata una semplice ansia divenne una **preoccupazione vera e profonda**. Riuscii a scoprire il nome del medico e con una breve indagine scoprii anche che non era affatto medico. Le speranze che avevo nutrito all'inizio sugli effetti della terapia crollarono in un solo colpo. Naturalmente **non era la mancanza della laurea in sé a insospettirmi**, ma la mancanza della laurea unita alla **constatazione** delle sempre **peggiori condizioni** di Ilaria. Se la cura fosse valida, pensavo, a una fase iniziale di **malessere** sarebbe dovuta seguire una di maggiore **benessere**; lentamente, tra dubbi e **ricadute**, avrebbe dovuto farsi strada la **consapevolezza**. Piano piano invece, Ilaria aveva **smesso** di interessarsi a tutto quello che c'era intorno. Ormai da diversi anni aveva finito i suoi studi e non faceva niente, si era allontanata dai pochi amici che aveva, l'unica sua attività era **scrutare** i **moti interiori** con l'ossessione di un **entomologo**. Il mondo girava intorno a quello che aveva sognato la notte, a

deterioramento deterioration

spiraglio di speranza ray/glimmer of hope

rifiutare a priori refusing outright

ovunque wherever

battemmo a tappeto (*passato remoto*) searched high and low
optammo (*passato remoto*) we opted

ci unirono (*passato remoto*) united us
complicità complicity

quadernetto little notebook

ci fai una croce accanto mark an X next to it, check it off
mi rammaricavo I felt bad

ricucire stitch together

Devi proprio? Do you really have to?
riagganciato hung up [the phone]

squillò (*passato remoto*) rang

delusione disappointment
fuggo da me stessa I am escaping from myself
sussurrò (*passato remoto*) she whispered

una frase che io o suo padre le avevamo detto vent'anni prima. Davanti a questo **deterioramento** della sua vita mi sentivo completamente impotente.

Soltanto tre estati dopo, per alcune settimane si aprì uno **spiraglio di speranza**. Poco dopo Pasqua le avevo proposto di fare un viaggio assieme; con mia grande sorpresa invece di **rifiutare a priori** l'idea, Ilaria, alzando gli occhi dal piatto, aveva detto: «E dove potremmo andare?». «Non lo so», avevo risposto, «dove vuoi tu, **ovunque** ci venga in mente di andare.»

Il pomeriggio stesso avevamo atteso con impazienza l'apertura delle agenzie di viaggio. Per settimane le **battemmo a tappeto** alla ricerca di qualcosa che ci piacesse. Alla fine **optammo** per la Grecia – Creta e Santorini – alla fine di maggio. Le cose pratiche da fare prima della partenza **ci unirono** con una **complicità** mai avuta prima. Lei era ossessionata dalle valigie, dal terrore di dimenticare qualcosa di primaria importanza; per tranquillizzarla le avevo comprato un **quadernetto**: «Scrivici sopra tutte le cose che ti servono», le avevo detto, «quando le hai già messe in valigia **ci fai una croce accanto**».

La sera, al momento di andare a dormire **mi rammaricavo** di non aver pensato prima che un viaggio assieme era un ottimo modo per provare a **ricucire** il rapporto. Il venerdì precedente alla partenza Ilaria mi telefonò con voce metallica. Credo si trovasse in una cabina per la strada. «Devo andare a Padova», mi disse, «torno al più tardi martedì sera.» «**Devi proprio?**» le chiesi, ma aveva già **riagganciato**.

Fino al giovedì seguente di lei non ebbi altre notizie. Alle due il telefono **squillò**, il suo tono era indeciso tra la durezza e il rammarico. «Mi dispiace», disse, «ma non vengo più in Grecia.» Aspettava la mia reazione, anch'io la aspettavo. Dopo qualche secondo risposi: «Dispiace molto anche a me. Io comunque ci vado lo stesso». Capì la mia **delusione** e tentò di darmi delle giustificazioni. «Se parto **fuggo da me stessa**», sussurrò.

Come puoi immaginare fu una vacanza tristissima, mi

paesaggio landscape

somiglia is like, is similar to
contadino farmer
sbucare come out [of the ground]
timore fear
nuocere harm
intemperie elements
telo di plastica sheet of plastic
glielo sistema sopra sets it on top of them
afidi e le larve green flies and larvae
irrora she sprays, bathes
abbondanti generous
marcite rotten
sopravvissute survived
erbacce weeds
strappate pulled them out

rallegrato enlivened
coltivare cultivate

soppresso suppressed
A furia di By dint of

sottolineata underscored
atto a conservare made for conserving
ingenuo naïve
dozzinale ordinary, second-rate

citato mentioned, spoken (*literally:* cited)

sforzavo di seguire le guide, di interessarmi al **paesaggio**, all'archeologia; in realtà pensavo soltanto a tua madre, a dove stava andando la sua vita.

Ilaria, mi dicevo, **somiglia** a un **contadino** che, dopo aver piantato l'orto e aver visto **sbucare** le prime piantine, viene preso dal **timore** che qualcosa possa **nuocere** loro. Allora, per proteggerle dalle **intemperie**, compra un bel **telo di plastica** resistente all'acqua e al vento e **glielo sistema sopra**; per tenere lontani gli **afidi e le larve**, le **irrora** con **abbondanti** dosi di insetticida. È un lavoro senza pause il suo, non c'è momento della notte e del giorno in cui non pensi all'orto e al modo di difenderlo. Poi una mattina, sollevando il telo, ha la brutta sorpresa di trovarle tutte **marcite,** morte. Se le avesse lasciate libere di crescere, alcune sarebbero morte lo stesso, ma altre sarebbero **sopravvissute**. Accanto a quelle da lui piantate, portate dal vento e dagli insetti ne sarebbero cresciute delle altre, alcune sarebbero state **erbacce** e le avrebbe **strappate**, ma altre, forse, sarebbero diventate dei fiori e con le loro tinte avrebbero **rallegrato** la monotonia dell'orto. Capisci? Così vanno le cose, ci vuole generosità nella vita: **coltivare** il proprio piccolo carattere senza vedere più niente di quello che sta intorno vuol dire respirare ancora ma essere morti.

Imponendo un'eccessiva rigidità alla mente, Ilaria aveva **soppresso** dentro di sé la voce del cuore. **A furia di** discutere con lei persino io avevo timore di pronunciare questa parola. Una volta, quand'era adolescente le avevo detto: il cuore è il centro dello spirito. La mattina dopo sul tavolo della cucina avevo trovato il dizionario aperto alla parola spirito, con una matita rossa era **sottolineata** la definizione: liquido incolore **atto a conservare** la frutta.

Il cuore ormai fa subito pensare a qualcosa di **ingenuo**, **dozzinale**. Nella mia giovinezza era ancora possibile nominarlo senza imbarazzo, adesso invece è un termine che non usa più nessuno. Le rare volte in cui viene **citato** è soltanto per riferirsi

ischemia coronarica coronary ischemia
lieve sofferenza atriale slight atrial pain
non viene più fatto cenno it is no longer mentioned
confida confides in
stolto fool
citando la Bibbia quoting the Bible

camera di combustione combustion chamber

bada listens to, heeds
ragione reason

denutrire starve, take the vitality out of

plancia di comando the bridge [of a ship]
sbirciare peeking
apparecchiature equipment
sintonizzarsi tune in
banda di frequenza frequency band
in omaggio as a freebie
detersivi detergents
sebbene even though
quadrante [radio] dial

a ronzare buzzing around
ci circonda surrounds us
a cogliere to capture/grasp
ristretta limited
impera reigns
condurci taking/conducting us
più ampio wider, more spacious
girotondo ring-around-the-rosy
esige requires
muta mute

al suo cattivo funzionamento: non è il cuore nella sua interezza ma soltanto un'**ischemia coronarica,** una **lieve sofferenza atriale**; ma di lui, del suo essere il centro dell'animo umano, **non viene più fatto cenno.** Tante volte mi sono interrogata sulla ragione di questo ostracismo. «Chi **confida** nel proprio cuore è uno **stolto**», diceva spesso Augusto **citando la Bibbia.** Perché mai dovrebbe essere stolto? Forse perché il cuore somiglia a una **camera di combustione?** Perché c'è del buio là dentro, del buio e del fuoco? La mente è moderna quanto il cuore è antico. Chi **bada** al cuore – si pensa allora – è vicino al mondo animale, all'incontrollato, chi bada alla **ragione** è vicino alle riflessioni più alte. E se le cose invece non fossero così, se fosse vero proprio il contrario? Se fosse questo eccesso di ragione a **denutrire** la vita?

Durante il viaggio di ritorno dalla Grecia avevo preso l'abitudine di passare parte della mattina vicino alla **plancia di comando.** Mi piaceva **sbirciare** dentro, guardare il radar e tutte quelle **apparecchiature** complicate che dicevano dove stavamo andando. Lì, un giorno, osservando le varie antenne che vibravano nell'aria ho pensato che l'uomo somiglia sempre più a una radio capace di **sintonizzarsi** soltanto su una **banda di frequenza.** Succede un po' la stessa cosa con le radioline che trovi **in omaggio** nei **detersivi: sebbene** sul **quadrante** siano disegnate tutte le stazioni, in realtà muovendo il sintonizzatore riesci a riceverne non più di una o due, tutte le altre continuano **a ronzare** nell'aria. Ho l'impressione che l'uso eccessivo della mente produca più o meno lo stesso effetto: di tutta la realtà che **ci circonda** si riesce **a cogliere** soltanto una parte **ristretta.** E in questa parte spesso **impera** la confusione perché è tutta piena di parole, e le parole, il più delle volte, invece di **condurci** in qualche luogo **più ampio** ci fanno soltanto fare un **girotondo.**

La comprensione **esige** il silenzio. Da giovane non lo sapevo, lo so adesso che mi aggiro per la casa **muta** e solitaria come un

boccia di cristallo crystal bowl

scopa broom

polvere dust

si solleva rises up

ricade falls back down

inumidito damp

l'opacità the opacity

le appartiene is a part of it

pulsare pulsating, beating

gli consente allows it

stento ad addormentarmi I can't get to sleep

fracasso din

andare troppo oltre to go overboard

ricette recipes

mandorle almonds

uvetta raisins

rhum rum

savoiardi ladyfingers

assaggiare taste

Un pasticcio *here a double meaning:* a big pie *and* a big mess

a trattenersi to contain himself

segnare marking up

vecchie maestre old primary-school teachers

Incongruente...insostenibile "Incongruous," he would write, "off course, dialectically unsustainable."

Figurati Imagine

se capitasse poi if it ended up

saggio essay

fallito failed

rimuovo I repressed

schiantandosi in a [car] crash

secondo lei in her opinion

pesce nella sua **boccia di cristallo**. È un po' come pulire un pavimento sporco con una **scopa** o con uno straccio bagnato: se usi la scopa gran parte della **polvere si solleva** in aria e **ricade** sugli oggetti accanto; se invece usi lo straccio **inumidito** il pavimento resta splendente e liscio. Il silenzio è come lo straccio inumidito, allontana per sempre **l'opacità** della polvere. La mente è prigioniera delle parole, se un ritmo **le appartiene** è quello disordinato dei pensieri; il cuore invece respira, tra tutti gli organi è l'unico a **pulsare**, ed è questa pulsazione che **gli consente** di entrare in sintonia con pulsazioni più grandi. Qualche volta mi capita, più per distrazione che per altro, di lasciare la televisione accesa per l'intero pomeriggio; anche se non la guardo il suo rumore mi insegue per le stanze e la sera, quando vado a letto sono molto più nervosa del solito, **stento ad addormentarmi**. Il rumore continuo, il **fracasso** sono una specie di droga, quando ci si è abituati non se ne può fare a meno.

Non voglio **andare troppo oltre**, non adesso. Nelle pagine che ho scritto oggi è un po' come se avessi preparato una torta mescolando diverse **ricette** – un po' di **mandorle** e poi la ricotta, dell'**uvetta** e del **rhum**, dei **savoiardi** e del marzapane, cioccolata e fragole – insomma una di quelle cose terribili che una volta mi hai fatto **assaggiare** dicendo che si chiamava nouvelle cuisine. **Un pasticcio?** Può darsi. Immagino che se le leggesse un filosofo non riuscirebbe **a trattenersi** dal **segnare** tutto con la matita rossa come le **vecchie maestre**. «Incongruente», scriverebbe, «fuori tema, dialetticamente insostenibile.»

Figurati se capitasse poi nelle mani di uno psicologo! Potrebbe scrivere un intero **saggio** sul rapporto **fallito** con mia figlia, su tutto ciò che **rimuovo**. Anche se avessi rimosso qualcosa, ormai che importanza ha? Avevo una figlia e l'ho persa. È morta **schiantandosi** con la macchina: lo stesso giorno le avevo rivelato che quel padre che, **secondo lei**, le aveva causato

123

guai problems
pellicola celluloid
proiettore projector
inchiodata nailed
sequenza delle scene sequence of each scene
Non mi sfugge niente Nothing escapes me

merlotta little blackbird
spunta she sticks out
foro hole
pio peep
deciso decisive
Beata te Lucky you
hai scordato had forgotten
l'aspetto [the very] appearance, what [they] looked like

tanti **guai**, non era il suo vero padre. Quella giornata è presente davanti a me come la **pellicola** di un film, solo che invece di muoversi nel **proiettore** è **inchiodata** su un muro. Conosco a memoria la **sequenza delle scene**, di ogni scena conosco il dettaglio. **Non mi sfugge niente**, sta tutto dentro di me, pulsa nei miei pensieri quando sono sveglia e quando dormo. Pulserà ancora dopo la mia morte.

La **merlotta** si è svegliata, a intervalli regolari **spunta** con la testa dal **foro** ed emette un *pio* deciso. «Ho fame», sembra dire, «cosa aspetti a darmi da mangiare?» Mi sono alzata, ho aperto il frigo, ho guardato se ci fosse qualcosa che andava bene per lei. Visto che non c'era niente, ho preso il telefono per chiedere al signor Walter se avesse dei vermi. Mentre facevo il numero le ho detto: «**Beata te,** piccolotta, che sei nata da un uovo e dopo il primo volo **hai scordato l'aspetto** dei tuoi genitori».

procurarseli obtain some of them
pesca fishing
larve della farina flour moth larvae
morbide piume soft down
pinzetta tweezer
sventolassi (*subjunctive*) waved them
appetitoso enticing
becco beak
stecchino toothpick
incitava encouraged

stuzzicargli tease, tickle
molla spring
spalancato opened widely
sazia sated

del più e del meno about this and that
vivaio plant nursery
bulbi e sementi bulbs and seeds

siamo rimasti d'accordo we agreed
sentirci per telefono to call each other

aquilegie columbines

30 novembre

Questa mattina poco prima delle nove è arrivato Walter con la moglie e un sacchetto di vermi. È riuscito a **procurarseli** da un suo cugino con l'hobby della **pesca**. Erano **larve della farina**. Assistita da lui, ho estratto delicatamente la merlotta fuori dalla scatola, sotto le **morbide piume** del petto il suo cuore batteva come pazzo. Con una **pinzetta** di metallo ho preso i vermi dal piattino e glieli ho offerti. Per quanto glieli **sventolassi** in modo **appetitoso** davanti al **becco**, non ne voleva sapere. «Glielo apra con uno **stecchino**», mi **incitava** allora il signor Walter, «lo forzi con le dita», ma io naturalmente non avevo il coraggio di farlo. A un certo punto mi sono ricordata, visti i tanti uccellini che abbiamo allevato assieme, che bisogna **stuzzicargli** il becco di lato e così ho fatto. E infatti come se dietro ci fosse una **molla**, la merlotta ha subito **spalancato** il becco. Dopo tre larve era già **sazia**. La signora Razman ha messo su un caffè – io non lo posso più fare da quando ho la mano difettosa – e siamo rimasti a parlare un po' **del più e del meno**. Senza la loro gentilezza e disponibilità, la mia vita sarebbe ben più difficile. Tra qualche giorno andranno in un **vivaio** a comprare **bulbi e sementi** per la primavera prossima. Mi hanno invitata ad andare con loro. Non gli ho detto né sì né no, **siamo rimasti d'accordo** di **sentirci per telefono** alle nove di domani.

Quel giorno era l'otto maggio. Avevo trascorso la mattina a curare il giardino, erano fiorite le **aquilegie** e il ciliegio era

127

boccioli buds
comparsa appeared

rastrello rake
contrastava was in contrast
contratte pursed, tight

si infilava put in
ciocca lock of hair

mazzolino di non-ti-scordar-di-me bunch of forget-me-nots
stropicciato crumpled
festa della mamma Mother's Day
con affetto warmly
turbata disturbed
l'avevo stretta I held her close
indurita stiffened
cavo empty
emanava she emanated

grotte caves

ridotta in queste condizioni reduced to this state
peggiorava worsened
preservarti save you
influssi negativi negative influence
rovinato ruined

mite mild
apparecchiato la tavola all'aperto set the table outside
glicine wisteria
tovaglia tablecloth

coperto di **boccioli**. All'ora di pranzo senza essersi annunciata è **comparsa** tua madre. È arrivata alle mie spalle in silenzio. «Sorpresa!» ha gridato all'improvviso e io per lo spavento ho lasciato cadere il **rastrello**. L'espressione del suo volto **contrastava** con l'entusiasmo fintamente gioioso dell'esclamazione. Era gialla e aveva le labbra **contratte**. Parlando si passava in continuazione le mani tra i capelli, li allontanava dal viso, li tirava, **si infilava** una **ciocca** in bocca.

Negli ultimi tempi questo era il suo stato naturale, vedendola così non mi sono preoccupata, almeno non più delle altre volte. Le ho chiesto dov'eri. Mi ha detto che ti aveva lasciata a giocare da un'amica. Mentre andavamo verso casa, da una tasca ha tirato fuori un **mazzolino di non-ti-scordar-di-me** tutto **stropicciato**. «È la **festa della mamma**», ha detto, ed è rimasta immobile a guardarmi con i fiori in mano, senza decidersi a fare un passo. Allora il passo l'ho fatto io, le sono andata vicino e l'ho abbracciata **con affetto** dicendole grazie. Nel sentire il suo corpo a contatto con il mio sono rimasta **turbata**. C'era una terribile rigidità in lei, quando **l'avevo stretta** si era **indurita** ancora di più. Avevo la sensazione che il suo corpo, dentro, fosse completamente **cavo**, **emanava** aria fredda come la emanano le **grotte**. In quel momento ricordo benissimo di aver pensato a te. Che ne sarà della bambina, mi sono chiesta, con una madre **ridotta in queste condizioni?** Con il passare del tempo la situazione invece di migliorare **peggiorava**, ero preoccupata per te, per la tua crescita. Tua madre era molto gelosa e ti portava da me il meno possibile. Voleva **preservarti** dai miei **influssi negativi**. Se avevo **rovinato** lei, non sarei riuscita a rovinare te.

Era ora di pranzo e, dopo l'abbraccio, sono andata in cucina a preparare qualcosa. La temperatura era **mite**. Abbiamo **apparecchiato la tavola all'aperto**, sotto il **glicine**. Ho messo la **tovaglia** a quadretti verdi e bianchi e, in mezzo al tavolo, un vasetto con i non-ti-scordar-di-me. Vedi? Ricordo tutto

dilatare expand, stretch out (*literally:* dilate)

Siccome Seeing that

fusilli spiral-shaped pasta

evasivo evasive
via vai coming and going
ronzio buzzing, humming
piombato dropped like lead weight, swooped down
vespa wasp
Uccidila Kill it
urlato shouted
balzando dalla sedia leaping up out of the chair
ribaltando overturning
Allora At that point
mi sono sporta *here:* stuck my head out
bombo bumblebee
innocuo innocuous, harmless
sconvolta very upset, distraught
si è riseduta she sat back down
giocherellato played with [her food]
puntato i gomiti placed [her] elbows
macchia stain
parecchi a few
sfuggita evasive, avoiding the subject
garanzie bank guarantees
atteggiamento terrorista terrorist strategy

scaricava unloaded, dumped
ansia anxiety

furiosa *here:* extreme

con una precisione incredibile per la mia memoria ballerina. Intuivo che sarebbe stata l'ultima volta che l'avrei vista viva? Oppure, dopo la tragedia, ho cercato di **dilatare** artificialmente il tempo trascorso assieme? Chissà. Chi lo può dire?

Siccome non avevo niente di pronto, ho preparato una salsa di pomodoro. Mentre finiva di cuocersi, ho chiesto a Ilaria se voleva le penne o i **fusilli**. Da fuori ha risposto «indifferente» e allora ho buttato i fusilli. Quando ci siamo sedute le ho fatto qualche domanda su di te, domande alle quali lei ha risposto in modo **evasivo**. Sopra le nostre teste c'era un **via vai** continuo di insetti. Entravano e uscivano dai fiori, il loro **ronzio** copriva quasi le nostre parole. A un certo punto, qualcosa di scuro è **piombato** nel piatto di tua madre. «È una **vespa. Uccidila,** uccidila!» ha **urlato, balzando dalla sedia** e **ribaltando** tutto. **Allora** io **mi sono sporta** per controllare, ho visto ch'era un **bombo** e gliel'ho detto: «Non è una vespa, è un bombo, è **innocuo**». Dopo averlo allontanato dalla tovaglia, le ho rimesso la pasta nel piatto. Con l'espressione ancora **sconvolta si è riseduta** al suo posto, ha preso la forchetta, ci ha **giocherellato** un po' passandosela da una mano all'altra, poi ha **puntato i gomiti** sul tavolo e ha detto: «Ho bisogno di soldi». Sulla tovaglia dov'erano caduti i fusilli era rimasta una **macchia** larga di colore rosso.

La questione dei soldi andava ormai avanti da **parecchi** mesi. Già prima di Natale dell'anno precedente, Ilaria mi aveva confessato di aver firmato delle carte a favore del suo analista. Davanti alla mia richiesta di maggiori spiegazioni, era **sfuggita** come sempre. «Delle **garanzie**», aveva detto, «una pura e semplice formalità.» Questo era il suo **atteggiamento terrorista**, quando mi doveva dire una cosa la diceva a metà. In questo modo **scaricava** la sua **ansia** su di me e, dopo averlo fatto, non mi dava le informazioni necessarie per permettermi di aiutarla. C'era un sottile sadismo in tutto ciò. Oltre al sadismo, una necessità **furiosa** di essere sempre al centro di qualche

uscite *here:* declarations

boutade *French:* quips, witticisms

cancro alle ovaie ovarian cancer

affannosa indagine anxiety-filled investigation

al lupo al lupo the boy who cried "wolf"

talmente tante so many

di crederci believing it

gioco al massacro *in effect:* senseless games; perhaps a
reference to an eponymous 1989 Italian movie about the
strained relationship between two aging film directors

patatrac disaster, crash

venni a sapere I came to know/found out

garantito gli affari signed a guaranty for [his] business loans

trecento milioni 300 million lire (at the time, about $150,000)

società company

fideiussione guarantee, promissory note

fallita gone bankrupt (*literally:* failed)

buco hole

due miliardi 2 billion lire (at the time, about $1 million)

far rientrare call in (*literally:* bring in)

denaro impegnato *in effect:* loan (*literally:* money that was
promised)

costituita made up of

A trent'anni passati At 30-some years old

affatto in no way

mantenersi da sola provide for herself

messo in gioco put into play

bene asset, property

intestato put in [her] name

furibonda furious

turbarla agitate her

ulteriormente further

finta serena pretended to be calm

preoccupazione. Il più delle volte però, queste sue **uscite** erano soltanto **boutade**.

Diceva, ad esempio: «Ho un **cancro alle ovaie**», e io, dopo una breve e **affannosa indagine**, scoprivo che era andata soltanto a fare un test di controllo, quel test che fanno tutte le donne. Capisci? Era un po' come la storia di **al lupo al lupo**. Negli ultimi anni aveva annunciato **talmente tante** tragedie che io, alla fine, avevo smesso **di crederci** o ci credevo un po' meno. Così quando mi aveva detto di aver firmato delle carte non le avevo prestato molta attenzione, né avevo insistito per avere altre notizie. Più di ogni altra cosa, ero stanca di quel **gioco al massacro**. Anche se avessi insistito, anche se ne fossi venuta a conoscenza prima, sarebbe stato comunque inutile perché quelle carte le aveva già firmate da tempo, senza chiedermi niente.

Il **patatrac** vero e proprio successe alla fine di febbraio. **Soltanto allora venni a sapere** che, con quelle carte, Ilaria aveva **garantito gli affari** del suo medico per un valore di **trecento milioni**. In quei due mesi la **società** per la quale aveva firmato la **fideiussione** era **fallita**, c'era un **buco** di quasi **due miliardi** e le banche avevano cominciato a chiedere di **far rientrare** il **denaro impegnato**. A quel punto tua madre era venuta da me a piangere, a domandarmi cosa mai dovesse fare. La garanzia infatti era **costituita** dalla casa nella quale viveva insieme a te, era quella che le banche volevano indietro. Puoi immaginare il mio furore. **A trent'anni passati** tua madre non solo non era **affatto** capace di **mantenersi da sola**, ma aveva anche **messo in gioco** l'unico **bene** in suo possesso, l'appartamento che le avevo **intestato** al momento della tua nascita. Ero **furibonda** ma non glielo avevo fatto vedere. Per non **turbarla ulteriormente** mi ero **finta serena** e avevo detto: «Vediamo cosa si può fare».

apatia apathy
avvocato lawyer
improvvisata acted like, played the part of

somministrava administered
psicofarmaci psychiatric medications
allieva prediletta favorite student
dotata talented
a sua volta for herself
Mi vengono i brividi I get shivers
Ti rendi conto Do you realize that

crac financial crash
quasi sicuramente almost surely
messa a esercitare started practicing
santone guru
osato dared
laurea in lettere degree in literature
sorrisetto furbo wily/sly grin
dolorose painful
provocano una pena ancora maggiore they cause an even
    greater pain
non mi aveva mai sfiorata it never had occurred to me
se faccio bene if I'm doing the right thing
a riferirti to even mention it (*literally:* refer it)
comunque however
nasconderti hide from you
vuoto il sacco I'm being completely forthcoming/letting it
    all out (*literally:* I'm emptying the sack)
Ho fatto tanta fatica I truly worked hard at
ci si inganna one kids/tricks oneself
confondere le acque muddy the waters
accorgermene realize it
voluto bene given her my love
fermo firmly

Visto che lei era caduta in una totale **apatia**, avevo cercato un buon **avvocato**. Mi ero **improvvisata** detective, avevo raccolto tutte le informazioni che ci sarebbero state utili per vincere la causa con le banche. Così venni a sapere che già da diversi anni lui le **somministrava** dei forti **psicofarmaci**. Durante le sedute, se lei era un po' giù, le offriva del whisky. Non faceva altro che ripeterle che lei era l'**allieva prediletta**, la più **dotata**, e presto avrebbe potuto mettersi in proprio, aprire uno studio dove curare le persone **a sua volta**. **Mi vengono i brividi** solo a ripetere queste frasi. **Ti rendi conto**: Ilaria, con la sua fragilità, con la sua confusione, con la sua assoluta mancanza di centro, da un giorno all'altro avrebbe potuto curare le persone. Se non fosse accaduto quel **crac**, **quasi sicuramente** sarebbe successo: senza dirmi niente si sarebbe **messa a esercitare** la stessa arte del suo **santone**.

Naturalmente non aveva mai **osato** parlarmi in modo esplicito di questo suo progetto. Quando le chiedevo perché non utilizzasse in alcun modo la sua **laurea in lettere,** rispondeva con un **sorrisetto furbo**: «Vedrai che la utilizzerò...».

Ci sono cose molto **dolorose** a pensarsi. A dirsi, poi, **provocano una pena ancora maggiore**. In quei mesi impossibili avevo capito una cosa di lei, una cosa che fino a quel momento **non mi aveva mai sfiorata** e che non so neanche **se faccio bene a riferirti**; **comunque**, dato che ho deciso di non **nasconderti** niente, **vuoto il sacco**. Ecco, vedi, ad un tratto, avevo capito questo: che tua madre non era per niente intelligente. **Ho fatto tanta fatica** a comprenderlo, ad accettarlo, un po' perché sui figli **ci si inganna** sempre, un po' perché con tutto il suo finto sapere, con tutta la sua dialettica, era riuscita molto bene a **confondere le acque**. Se avessi avuto il coraggio di **accorgermene** in tempo, l'avrei protetta di più, le avrei **voluto bene** in modo più **fermo**. Proteggendola forse sarei riuscita a salvarla.

Questa era la cosa più importante e me ne sono accorta quando ormai non c'era quasi niente da fare. Vista la situazione

nel suo complesso overall

dichiararla incapace di intendere e di volere declare her
 incompetent (*literally:* unable to reason or make decisions)

intentare un processo per plagio file a lawsuit alleging
 moral subjugation

intraprendere take this path, follow [this line of reasoning]

isterica hysterical

Lo fai apposta You're doing it on purpose

Dentro di sé Deep inside her

riconosciuta *here:* legally declared

carriera career

bruciata per sempre ruined forever (*literally:* burned forever)

bendata blindfolded

sull'orlo di un baratro on the edge of an abyss

liquidare get rid of (*literally:* liquidate)

Di sua iniziativa Taking her own initiative

ne consultò (*passato remoto*) she consulted with

stato d'animo state of mind, reaction (*literally:* state of my
 soul)

perdita loss

distacco detachment

privo di parole without words, speechless

apparente an appearance, a mask

vuoto pneumatico a hollowness/emptiness that can expand
 or contract

debiti debts

quella cifra that kind of money

te l'ho intestata I transferred the title to you

non mi riguarda più it no longer concerns me, it's not my
 problem at this point

a piagnucolare whimpering

si susseguivano they followed, they ran after one another

scorgere nessun senso find any sense [in it]

nel suo complesso, a quel punto l'unica azione possibile da fare era **dichiararla incapace di intendere e di volere, intentare un processo per plagio**. Il giorno in cui le comunicai che avevamo deciso – con l'avvocato – di **intraprendere** questa strada, tua madre scoppiò in una crisi **isterica**. «**Lo fai apposta**», gridava, «è tutto un piano per portarmi via la bambina.» **Dentro di sé** però sono sicura che pensava soprattutto a una cosa, e cioè che se fosse stata **riconosciuta** incapace di intendere e di volere la sua **carriera** sarebbe stata **bruciata per sempre**. Camminava **bendata sull'orlo di un baratro** e ancora credeva di trovarsi sul prato per fare un picnic. Dopo quella crisi mi ordinò di **liquidare** l'avvocato e di lasciar perdere. **Di sua iniziativa ne consultò** un altro e fino a quel giorno dei non-ti-scordar-di-me non mi fece sapere altro.

Capisci il mio **stato d'animo** quando, puntando i gomiti sul tavolo, mi chiese i soldi? Certo, lo so, sto parlando di tua madre e adesso forse nelle mie parole senti soltanto una vuota crudeltà, pensi che aveva ragione a odiarmi. Ma ricordati quello che ti ho detto all'inizio: tua madre era mia figlia, io ho perso molto più di quello che hai perso tu. Mentre tu della sua **perdita** sei innocente io no, non lo sono per niente. Se ogni tanto ti sembra che ne parli con **distacco**, cerca di immaginare quanto grande possa essere il mio dolore, quanto questo dolore sia **privo di parole**. Così il distacco è solo **apparente**, è il **vuoto pneumatico** grazie al quale posso continuare a parlare.

Quando mi domandò di pagare i suoi **debiti**, per la prima volta nella mia vita le dissi no, assolutamente no. «Non sono una banca svizzera», le risposi, «non ho **quella cifra**. Anche se l'avessi non te la darei, sei abbastanza grande per essere responsabile delle tue azioni. Avevo una sola casa e **te l'ho intestata**, se l'hai persa la cosa **non mi riguarda più**.» A quel punto, si era messa a **piagnucolare**. Iniziava una frase, la lasciava a metà, ne iniziava un'altra; nel contenuto e nel modo in cui **si susseguivano**, non riuscivo a **scorgere nessun senso**, nessuna logica. Dopo

137

presunte colpe   presumed/alleged faults
nei suoi confronti   with regard to her
risarcimento   compensation for damages
esplosi   (*passato remoto*) I exploded
giurato   sworn (to secrecy)
salì   (*passato remoto*) reached
pentita   filled with remorse/regret
rimangiarmi   take back (*literally:* eat my)

terreo   wan, pale
fissandomi   staring me down

Come reagì Ilaria   (*passato remoto*) How did Ilaria react
andatura   gait, movement, way about [her]
avviò   (*passato remoto*) went towards
stridula   shrill
corsa dietro   run after
impietrita   petrified, immobilized
custodito   guarded
fermezza   firmness, strength
all'improvviso   suddenly
canarino   canary
raggiunto   reached
frastornata   dazed, bewildered
innaffiando le ortensie   watering the hydrangeas
pattuglia della polizia stradale   state highway police squad
avvisarmi   report on
incidente   accident

fare una pausa   take a break

corazza a brandelli   fragmented/splintered shell
non mi consente   won't let me

una decina di minuti di lamentele era arrivata al suo chiodo fisso: il padre e le sue **presunte colpe**, prima tra tutte la poca attenzione **nei suoi confronti**. «Ci vuole un **risarcimento**, lo capisci o no?» mi gridava con una luce terribile negli occhi. Allora, non so come, **esplosi**. Il segreto che ormai avevo **giurato** a me stessa di portare nella tomba mi **salì** alle labbra. Appena uscito ero già **pentita**, volevo richiamarlo dentro, avrei fatto qualsiasi cosa per **rimangiarmi** quelle parole, ma era troppo tardi. Quel «tuo padre non è il tuo vero padre» era già arrivato alle sue orecchie. Il suo volto divenne ancora più **terreo**. Si alzò lentamente in piedi, **fissandomi**. «Cosa hai detto?» La sua voce si sentiva appena. Io stranamente ero di nuovo calma. «Hai sentito bene», le risposi. «Ho detto che tuo padre non era mio marito.»

Come reagì Ilaria? Semplicemente andandosene. Si girò con un'**andatura** più simile a quella di un robot che a quella di un essere umano e si **avviò** verso l'uscita del giardino. «Aspetta! Parliamo», le gridai con una voce odiosamente **stridula**.

Perché non mi sono alzata, perché non le sono **corsa dietro**, perché in fondo non ho fatto niente per fermarla? Perché anch'io ero rimasta **impietrita** dalle mie stesse parole. Cerca di capire, ciò che avevo **custodito** per tanti anni, e con tanta **fermezza, all'improvviso** era venuto fuori. In meno di un secondo, come un **canarino** che all'improvviso trova la porta della gabbia aperta, era volato via e aveva **raggiunto** l'unica persona che non volevo raggiungesse.

Quel pomeriggio stesso, alle sei, mentre ancora **frastornata** stavo **innaffiando le ortensie**, una **pattuglia della polizia stradale** venne ad **avvisarmi** dell'incidente.

È sera tardi adesso, ho dovuto **fare una pausa**. Ho dato da mangiare a Buck e alla merla, ho mangiato io, ho guardato per un po' la televisione. La mia **corazza a brandelli non mi consente** di sopportare a lungo le emozioni forti. Per andare

139

svagarmi to take my mind off of things
riprendere fiato catch [my] breath

chiederle perdono ask her forgiveness

si occupava di lei took care of her
beneficio that it helps
procurata got, procured
mangianastri (*slang*) cassette player
le deve essere arrivato must have reached her

lattanti nursing babies
custodita archived
si era rifugiata where [she] took refuge
modifica slight change
riempito di gioia filled with joy
ci si aggrappa a un nonnulla one grasps at the slightest thing
Tesoro Dearest, Darling
devi farcela you have to make it
ricominceremo tutto da capo we'll start all over again

aggirarsi wandering around
bambola preferita favorite doll
giungeva reached
risata laughter
rinascere be born again

sopravvissuta survived
funzioni bodily functions

avanti devo **svagarmi, riprendere fiato.**

Come sai, tua madre non morì subito, passò dieci giorni sospesa tra la vita e la morte. In quei giorni le fui sempre accanto, speravo che almeno per un momento aprisse gli occhi, che mi fosse data un'ultima possibilità di **chiederle perdono.** Stavamo sole in una stanzetta piena di macchine, un piccolo televisore diceva che il suo cuore andava ancora avanti, un altro che il suo cervello era quasi fermo. Il medico che **si occupava di lei** mi aveva detto che, alle volte, i pazienti in quello stato trovano **beneficio** nel sentire qualche suono che avevano amato. Allora mi ero **procurata** la sua canzone preferita di quand'era bambina. Con un piccolo **mangianastri** gliela facevo sentire per ore. In effetti qualcosa **le deve essere arrivato** perché, già dopo le prime note, l'espressione del suo volto era cambiata, il viso si era disteso e le labbra avevano cominciato a fare i movimenti che fanno i **lattanti** dopo aver mangiato. Sembrava un sorriso di soddisfazione. Chissà, forse nella piccola parte del suo cervello ancora attiva era **custodita** la memoria di un'epoca serena ed era là che **si era rifugiata** in quel momento. Quella piccola **modifica** mi aveva **riempito di gioia.** In questi casi **ci si aggrappa a un nonnulla**; non mi stancavo di accarezzarle la testa, di ripeterle: «**Tesoro devi farcela,** abbiamo ancora tutta una vita davanti da vivere assieme, **ricominceremo tutto da capo,** in modo diverso». Mentre le parlavo, tornava davanti a me un'immagine: aveva quattro o cinque anni, la vedevo **aggirarsi** per il giardino tenendo per un braccio la sua **bambola preferita,** le parlava in continuazione. Io ero in cucina, non sentivo la sua voce. Ogni tanto da qualche punto del prato mi **giungeva** la sua **risata,** una risata forte, allegra. Se una volta è stata felice, mi dicevo allora, lo potrà essere ancora. Per farla **rinascere** bisogna partire da lì, da quella bambina.

Naturalmente, la prima cosa che mi avevano comunicato i medici dopo l'incidente era che, se anche fosse **sopravvissuta,** le sue **funzioni** non sarebbero più state quelle di una volta,

141

paralizzata paralyzed

cosciente conscious, aware

egoismo materno maternal selfishness

In che modo In which way, How

spingerla in carrozzella push her in a wheelchair

imboccarla feed her

occuparmi di lei care for her

espiare atone for, expiate

colpa guilt

Qualcuno Someone [from on high]

le volle più bene loved her even more

scomparve disappeared, vanished

vago vague

tuttavia in any case

non avvertii (*passato remoto*) I didn't call/alert

l'infermiera di turno the nurse on duty

carezzai (*passato remoto*) I caressed

le strinsi le mani (*passato remoto*) I held [her] hands

mi sono inginocchiata ai piedi del letto I kneeled at the
    foot of the bed

calmante tranquilizer

attutisse (*subjunctive*) deadened

obitorio mortuary

testona large head

salutarla say hello or goodbye

certo certainly

prendendoti in braccio picking you up in my arms

manina little hand

facevi ciao ciao (*expression used with children*) you waved
    bye-bye

poteva restare **paralizzata** oppure **cosciente** solo in parte. E sai una cosa? Nel mio **egoismo materno** mi preoccupavo soltanto del fatto che continuasse a vivere. **In che modo** non aveva nessuna importanza. Anzi, **spingerla in carrozzella**, lavarla, **imboccarla**, **occuparmi di lei** come unico scopo della mia vita, sarebbe stato il modo migliore per **espiare** interamente la mia **colpa**. Se il mio amore fosse stato vero, se fosse stato veramente grande, avrei pregato per la sua morte. Alla fine però **Qualcuno le volle più bene** di me: nel tardo pomeriggio del nono giorno, dal suo volto **scomparve** quel **vago** sorriso e morì. Me ne accorsi subito, ero lì accanto, **tuttavia non avvertii l'infermiera di turno** perché volevo stare ancora un po' con lei. Le **carezzai** il volto, **le strinsi le mani** tra le mie come quando era bambina, «tesoro», continuavo a ripeterle, «tesoro». Poi, senza lasciare la sua mano, **mi sono inginocchiata ai piedi del letto** e ho cominciato a pregare. Pregando ho cominciato a piangere.

Quando l'infermiera mi ha toccato una spalla stavo ancora piangendo. «Andiamo, venga», mi ha detto, «le do un **calmante**.» Il calmante non l'ho voluto, non volevo che qualcosa **attutisse** il mio dolore. Sono rimasta lì fino a che l'hanno portata all'**obitorio**. Poi ho preso un taxi e ti ho raggiunto dall'amica dove eri ospite. La sera stessa eri già a casa mia. «Dov'è la mamma?» mi hai chiesto durante la cena. «La mamma è partita», ti ho detto allora, «è andata a fare un viaggio, un lungo viaggio fino in cielo.» Con la tua **testona** bionda hai continuato a mangiare in silenzio. Appena hai finito con voce seria mi hai chiesto: «Possiamo **salutarla**, nonna?». «Ma **certo**, amore», ti ho risposto e **prendendoti in braccio** ti ho portato in giardino. Siamo rimaste a lungo in piedi sul prato mentre tu con la **manina facevi ciao ciao** alle stelle.

mi è venuto addosso it came over me

un gran malumore a really rotten mood

A scatenarlo What triggered it

equilibri interni internal balance

alterarli alter/change it

nero in volto grim-faced

colpa è della luna it was the moon's fault

La notte scorsa Last night

luna piena full moon

smuovere i mari control the tides (*literally:* move the seas)

svelto faster

umori moods

in dono a gift

cospicuo conspicuous, quite large

giornalacci gossip magazines

Ci casco I fall for it

sfoglio I skim [the pages of a book or magazine] (*literally:* turn the pages)

mi stacco I detach myself

Mi rattristo I grow sad

infelice unhappy

mi indigno I get indignant

proletari proletarian, working-class

palpito [my] heart throbs

strappacuore heart-wrenching

abbondanza di particolari down to the smallest detail

Non smetto di strabiliarmi It never ceases to amaze me

bacchettona bigot

non ti nego I don't deny

piuttosto perplessa pretty perplexed

abbassata went down

avevo paura I was afraid, I feared

In questi giorni **mi è venuto addosso un gran malumore**. **A scatenarlo** non c'è stato niente di preciso, il corpo è così, ha i suoi **equilibri interni**, basta un niente per **alterarli**. Ieri mattina, quando la signora Razman è venuta con la spesa e mi ha vista **nera in volto** ha detto che secondo lei la **colpa è della luna**. **La notte scorsa** infatti c'era la **luna piena**. E se la luna può **smuovere i mari** e far crescere più **svelto** il radicchio nell'orto perché mai non dovrebbe avere il potere di influire anche sui nostri **umori**? Di acqua, di gas, di minerali, di cos'altro siamo fatti? Prima di andarsene comunque mi ha lasciato **in dono** un **cospicuo** pacco di **giornalacci** e così ho passato una giornata intera a inebetirmi tra le loro pagine. **Ci casco** ogni volta! Appena li vedo mi dico, va bene, li **sfoglio** un po', non più di mezz'ora e poi vado a fare qualcosa di più serio e importante. Invece ogni volta non **mi stacco** fino a che non ho letto l'ultima parola. **Mi rattristo** per la vita **infelice** della principessa di Monaco, **mi indigno** per gli amori **proletari** di sua sorella, **palpito** per qualsiasi notizia **strappacuore** che mi venga raccontata con **abbondanza di particolari**. E poi le lettere! **Non smetto di strabiliarmi** per quello che la gente ha il coraggio di scrivere! Non sono una vecchia **bacchettona**, almeno non credo di esserlo, tuttavia **non ti nego** che certe libertà mi lasciano **piuttosto perplessa**.

La temperatura oggi si è ulteriormente **abbassata**. Non sono andata a fare la passeggiata in giardino, **avevo paura** che l'aria fosse troppo rigida, unita al gelo che mi porto dentro avrebbe

145

spezzarmi break me in two
ghiacciato frozen
ripulsa tale such a repulsion
mi possiede that possesses me
deroghe special dispensation
svicolare sneak off

smarrimento bewilderment
simile similar, like
esso it
strettamente legato closely linked

in stato interessante (*euphemism*) pregnant (*literally:* in an
    interesting state)
strana frenesia a strange frenzy
fondato founded
circolo club
condividevo I shared [the opinion of]
forzature things [they] pushed to the limits
malsane e distorte unhealthy and distorted
padrone masters
gestione del loro corpo governing their own body
fare un figlio having a child

incomprensibile incomprehensible
onnipotenza omnipotence
precarietà precariousness [of life]
si allontanano go away, are further removed from
immetti you bring into
scompare disappears

146

potuto **spezzarmi** come un vecchio ramo **ghiacciato**. Chissà se mi stai ancora leggendo oppure se, conoscendomi meglio, ti ha preso una **ripulsa tale** da non poter proseguire la lettura. L'urgenza che in questo momento **mi possiede** non mi permette **deroghe**, non posso fermarmi proprio adesso, **svicolare**. Anche se ho conservato quel segreto per tanti anni, adesso non è più possibile farlo. Ti ho detto, all'inizio, che davanti al tuo **smarrimento** per il fatto di non avere un centro io provavo uno smarrimento **simile** al tuo, forse anche più grande. So che il tuo riferimento al centro – o meglio, alla mancanza di **esso** – è **strettamente legato** al fatto che tu non hai mai saputo chi fosse tuo padre. Tanto mi era stato tristemente naturale dirti dov'era andata tua madre, altrettanto, davanti alle domande su tuo padre, non sono mai stata in grado di rispondere. Come potevo? Non avevo la minima idea di chi fosse. Un'estate Ilaria aveva fatto una lunga vacanza da sola in Turchia, da quella vacanza era tornata **in stato interessante**. Aveva già passato i trent'anni e a quell'età alle donne, se ancora non hanno figli, prende una **strana frenesia**, a tutti i costi ne vogliono uno, in che modo e con chi non ha nessuna importanza.

In quel periodo, poi, erano quasi tutte femministe; tua madre con un gruppo di amiche aveva **fondato un circolo.** C'erano molte cose giuste in quel che dicevano, cose che **condividevo**, ma tra queste cose giuste, c'erano anche molte **forzature**, idee **malsane e distorte.** Una di queste era che le donne fossero completamente **padrone** della **gestione del loro corpo**, e quindi **fare un figlio** o meno, dipendeva soltanto da loro. L'uomo non era altro che una necessità biologica, e come semplice necessità andava usato. Tua madre non era stata l'unica a comportarsi così, altre due o tre sue amiche hanno avuto dei figli nello stesso modo. Non è del tutto **incomprensibile**, sai. La capacità di poter dare la vita dona un senso di **onnipotenza**. La morte, il buio e la **precarietà si allontanano**, **immetti** nel mondo un'altra parte di te, davanti a questo miracolo **scompare** tutto.

147

A sostegno della loro tesi To back up/support their ideas

accoppiamento mating

ce la portiamo dietro we carry it with us

l'aspetto resta the appearance remains
il volto ce l'ha has the face
bisnonni great-grandparents
magari perhaps
zio lontano distant uncle

antenati ancestors

a trascorrere to spend
davanti allo specchio in front of the mirror
brufoli pimples
punti neri blackheads
Sottraendo Subtracting

messo al mondo brought into the world
riflettuto abbastanza reflected enough on

inseguono look for (*literally:* follow)

pressoché nullo more or less nil/zero
l'ambiente the environment
fattori factors

A sostegno della loro tesi tua madre e le sue amiche citavano il mondo animale: «Le femmine», dicevano, «incontrano i maschi soltanto al momento dell'**accoppiamento**, poi ognuno va per la sua strada e i cuccioli restano con la madre». Se questo sia vero o meno non sono in grado di verificarlo. So però che noi siamo esseri umani, ognuno di noi nasce con una faccia diversa da tutte le altre e questa faccia **ce la portiamo dietro** per tutta la vita. Un'antilope nasce con il muso di antilope, un leone con quello di leone, sono uguali identici a tutti gli altri animali della loro specie. In natura **l'aspetto resta** sempre lo stesso, mentre **il volto ce l'ha** l'uomo e nessun altro. Il volto, capisci? Nel volto c'è tutto. C'è la tua storia, ci sono tuo padre, tua madre, i tuoi nonni e i **bisnonni, magari** anche uno **zio lontano** di cui non si ricorda più nessuno. Dietro al volto c'è la personalità, le cose buone e quelle meno buone che hai ricevuto dai tuoi **antenati**. Il volto è la nostra prima identità, ciò che ci permette di sistemarci nella vita dicendo: ecco, sono qui. Così, quando verso i tredici, quattordici anni, hai cominciato **a trascorrere** ore intere **davanti allo specchio**, ho capito che era proprio quello che stavi cercando. Guardavi certo i **brufoli** e i **punti neri,** o il naso all'improvviso troppo grande, ma anche qualcos'altro. **Sottraendo** ed eliminando i lineamenti della tua famiglia materna, cercavi di farti un'idea sul volto dell'uomo che ti aveva **messo al mondo**. La cosa su cui tua madre e le sue amiche non avevano **riflettuto abbastanza** era proprio questo: che un giorno il figlio, osservandosi allo specchio, avrebbe capito che dentro di lui c'era qualcun altro e che – di questo qualcun altro – avrebbe voluto sapere tutto. Ci sono persone che **inseguono** anche per tutta la vita il volto della propria madre, del proprio padre.

Ilaria era convinta che il peso della genetica nello sviluppo di una vita fosse **pressoché nullo**. Per lei le cose importanti erano l'educazione, **l'ambiente**, il modo di crescere. Io non condividevo questa sua idea, per me i due **fattori** andavano di

pari passo in equal parts
fin dalla nascita right from birth

temi malefici evil/horrible themes
separati separated parents
vuoto totale total blank
mi guardavo bene dal parlartene I carefully avoided talking
  to you about it
tranne except
concepita conceived
laggiù, in Turchia down there in Turkey
appena only just
sfruttato used
dato certo certain fact
paese d'origine country of origin
fiabe orientali [Middle-]eastern fables (such as *The Arabian*
  Nights)

Mezzaluna Crescent moon, an ancient symbol for the city
  of Constantinople (Istanbul) and since the 15th century a
  symbol of the Ottoman Empire and the Islamic faith
a corte at court
invidiosi envious
Gran Visir Grand Vizier
a scagliare un sortilegio who cast a spell

servo fedele faithful servant
i panni the garb
quassù up here

raggianti radiant
un segreto segretissimo a really secret secret
bizzarra bugia weird/bizarre lie

pari passo: metà l'ambiente, metà ciò che abbiamo dentro di noi **fin dalla nascita.**

Fino a che non sei andata a scuola non ho avuto nessun problema, non ti interrogavi mai su tuo padre e io, grazie alle compagne e a quei **temi malefici** che davano le maestre, improvvisamente ti sei accorta che nella tua vita di tutti i giorni mancava qualcosa. Nella tua classe c'erano naturalmente molti figli di **separati**, situazioni irregolari, ma nessuno, riguardo al padre, aveva quel **vuoto totale** che avevi tu. Come potevo spiegarti, all'età di sei anni, di sette, quello che aveva fatto tua madre? E poi, **mi guardavo bene dal parlartene.** Con l'ingresso nelle elementari in fondo, anch'io non ne sapevo niente, **tranne** che eri stata **concepita laggiù, in Turchia.** Così, per inventare una storia **appena** un po' credibile, ho **sfruttato** l'unico **dato certo**, il **paese d'origine.**

Avevo comprato un libro di **fiabe orientali** e ogni sera te ne leggevo una. Sulla base di quelle, ne avevo inventata una apposta per te, te la ricordi ancora? Tua madre era una principessa e tuo padre un principe della **Mezzaluna.** Come tutti i principi e le principesse si amavano al punto tale da essere pronti a morire uno per l'altro. Di questo amore però **a corte** molti erano **invidiosi.** Il più invidioso di tutti era il **Gran Visir**, un uomo potente e malefico. Era stato proprio lui **a scagliare un sortilegio** terribile sulla principessa e sulla creatura che portava in grembo. Per fortuna il principe era stato avvertito da un **servo fedele** e così tua madre di notte, vestita con **i panni** di una contadina, aveva lasciato il castello e si era rifugiata **quassù**, nella città dove tu hai visto la luce.

«Sono figlia di un principe?» mi chiedevi allora con occhi **raggianti.** «Certo», ti rispondevo io, «però è **un segreto segretissimo**, un segreto che non devi dire a nessuno.» Cosa speravo di fare con quella **bizzarra bugia**? Niente, solo regalarti qualche anno in più di serenità. Sapevo che un giorno avresti smesso di credere alla mia stupida fiaba. Sapevo anche che quel

151

Ignoro chi sia tuo padre I don't know who your father is

liberazione sessuale sexual liberation

aveva voglia felt like it

comparire appear

decine dozens (*literally:* tens)

giovanotti young men

precarietà amorosa precariousness of her love life

di per sé herself

travolta overwhelmed by it

impedito stopped [her] from doing

turbata disturbed

nei costumi in the social mores

impoverimento dei sentimenti impoverishment of feelings

Caduti i divieti [Once] everything that had been forbidden
  was permitted (*literally:* the prohibitions [had] fallen)

unicità uniqueness

banchetto banquet

afflitte da afflicted with, suffering from

raffreddore head cold

per educazione out of good manners

arrosti roast beef

bignè cream puffs

libertà di costumi social freedoms

oscuro obscure

inconscio subconscious

inquietudini restlessness

Finché Up until

finzione pretense

la pancia di tre mesi three months pregnant (*literally:* with a
  three-month belly)

Non si sfugge alla falsità One doesn't escape from falsity

quando meno ce lo si aspetta when one leasts expects it

riaffiorano they surface once again

giorno, molto probabilmente, avresti cominciato a detestarmi. Tuttavia mi era assolutamente impossibile non raccontartela. Anche raccogliendo tutto il mio poco coraggio, non sarei mai riuscita a dirti: «**Ignoro chi sia tuo padre**, forse lo ignorava persino tua madre».

Erano gli anni della **liberazione sessuale**, l'attività erotica veniva considerata come una normale funzione del corpo: andava fatta ogni volta che se ne **aveva voglia**, un giorno con uno, un giorno con l'altro. Ho visto **comparire** al fianco di tua madre **decine** di **giovanotti**, non ne ricordo uno solo che sia durato più di un mese. Da questa **precarietà amorosa** Ilaria, già instabile **di per sé**, era rimasta **travolta** più di altri. Anche se non le ho mai **impedito** nulla, né mai l'ho criticata in alcun modo, ero piuttosto **turbata** da questa improvvisa libertà **nei costumi**. Non era tanto la promiscuità a colpirmi, quanto il grande **impoverimento dei sentimenti. Caduti i divieti** e l'**unicità** della persona, era caduta anche la passione. Ilaria e le sue amiche mi sembravano delle ospiti di un **banchetto afflitte da** un forte **raffreddore, per educazione** mangiavano tutto quello che veniva loro offerto senza però sentirne il gusto: carote, **arrosti** e **bignè** per loro avevano lo stesso sapore.

Nella scelta di tua madre c'entrava certo la nuova **libertà di costumi**, ma forse c'era anche lo zampino di qualcos'altro. Quante cose sappiamo del funzionamento della mente? Molte, ma non tutte. Chi può dire allora se lei, in qualche luogo **oscuro** dell'**inconscio**, non abbia intuito che quell'uomo che le stava davanti non era suo padre? Molte **inquietudini**, molte instabilità non le venivano forse da questo? **Finché** lei era piccola, finché era adolescente e ragazza non mi sono mai posta questa domanda, la **finzione** in cui l'avevo fatta crescere era perfetta. Ma quando è tornata da quel viaggio, con **la pancia di tre mesi**, allora tutto mi è tornato in mente. **Non si sfugge alla falsità**, alle bugie. O meglio, si può sfuggire per un po', poi, **quando meno ce lo si aspetta, riaffiorano,**

153

apparentemente innocue apparently harmless
lontananza absence
si sono trasformate they turned into
orchi mangiatutto all-consuming ogres
un'avidità tremenda an incredible greed

la menzogna della fiaba the lie behind the fairy tale

Con essa ho distrutto tre vite With it I destroyed three lives

non sono più docili come nel momento in cui le hai dette, **apparentemente innocue**, no; nel periodo di **lontananza si sono trasformate** in orribili mostri, in **orchi mangiatutto**. Le scopri e, un secondo dopo, vieni travolto, divorano te e tutto quello che ti sta intorno con **un'avidità tremenda**. Un giorno, a dieci anni, sei tornata da scuola piangendo. «Bugiarda!» mi hai detto e subito ti sei chiusa nella tua stanza. Avevi scoperto **la menzogna della fiaba**.

Bugiarda potrebbe essere il titolo della mia autobiografia. Da quando sono nata ho detto una sola bugia.

Con essa ho distrutto tre vite.

senza sosta without stopping

sporge poke out

le piume della sommità del capo the feathers on the top of its head

nonostante in spite of

vivaio nursery

indecisa undecided

scoraggiare discourage

orso bear

nicchia scura hidden corner

che te ne importa what do you care

disdire l'impegno cancel the appointment

ma tu altre ne vedrai di certo but you will certainly see others [springtimes]

mi aggiro per le stanze I wander from room to room

sono in grado di fare I'm able to do

avvicinarmi draw nearer to

distogliere be distracted from

congelatore freezer

mattonella brick

patina bianca white coating

riempie it fills

sonnecchiano are sleeping/dozing

caverne del ricordo caverns of the memory

tornano in superficie they return to the surface

156

La merla è ancora davanti a me sul tavolo. Ha un po' meno appetito dei giorni scorsi. Invece di chiamarmi **senza sosta**, sta ferma al suo posto, non **sporge** più la testa dal buco della scatola, vedo spuntare appena **le piume della sommità del capo.** Questa mattina, **nonostante** il freddo, sono andata al **vivaio** con i signori Razman. Sono rimasta **indecisa** fino all'ultimo momento, la temperatura era tale da **scoraggiare** persino un **orso** e poi, in una **nicchia scura** del mio cuore, c'era una voce che mi diceva **che te ne importa** di piantare altri fiori? Ma mentre formavo il numero dei Razman per **disdire l'impegno,** ho visto dalla finestra i colori spenti del giardino e mi sono pentita del mio egoismo. Forse io non vedrò un'altra primavera, **ma tu altre ne vedrai di certo.**

Che disagio in questi giorni! Quando non scrivo, **mi aggiro per le stanze** senza trovare pace in nessun posto. Non c'è una sola attività, delle poche che **sono in grado di fare**, che mi consenta di **avvicinarmi** a uno stato di quiete, di **distogliere** per un attimo i pensieri dai ricordi tristi. Ho l'impressione che il funzionamento della memoria somigli un po' a quello del **congelatore.** Hai in mente quando tiri fuori un cibo lasciato a lungo là dentro? All'inizio è rigido come una **mattonella**, non ha odore, non ha sapore, è coperto da una **patina bianca**; appena lo metti sul fuoco, però, piano piano riprende la sua forma, il suo colore, **riempie** la cucina del suo aroma. Così i ricordi tristi **sonnecchiano** per tanto tempo in una delle innumerevoli **caverne del ricordo**, stanno lì anche per anni, per decenni, per tutta una vita. Poi, un bel giorno, **tornano in superficie**, il

pungente piercing, stinging

isolamento un po' anomalo rather odd isolation

dote assai negativa ai fini del matrimonio *in effect:* not a
    highly appreciated gift if marriage was her goal/aim

costumi dell'epoca mores of the time

fattrice statica e adorante an unchanging and adoring
    brood mare

l'ultima cosa da augurarsi the last thing to wish for oneself

ero carina e anche piuttosto benestante I was cute and
    fairly well off

nugoli spasimanti a whole host of suitors

stare zitta keep quiet

purtroppo unfortunately

si rifiutava di mostrarsi falsa *in effect:* refused to pretend
    otherwise

non proseguii (*passato remoto*) I didn't continue

si oppose (*passato remoto*) was against it

Si trattò di una rinuncia molto difficile (*passato remoto*) It
    was a very difficult admission of defeat

assetata di sapere thirsty for knowledge

lo bersagliavo I bombarded him

ingegneri engineers

avvocati lawyers

disorientava was baffling/disorienting

più l'attività che la persona more in the profession than in
    the person

così forse era effettivamente perhaps it was the case

di appartenere to belong

distanti anni luce light years away

spartiacque *here:* gulf, chasm (*literally:* watershed)

malizia femminile feminine wiles

completamente priva completely lacking

alla massima potenza to the highest degree

dolore che li aveva accompagnati è di nuovo presente, intenso e **pungente** come lo era quel giorno di tanti anni fa.

Ti stavo raccontando di me, del mio segreto. Ma per raccontare una storia bisogna partire dall'inizio, e l'inizio sta nella mia giovinezza, nell'**isolamento un po' anomalo** nel quale ero cresciuta e continuavo a vivere. Ai miei tempi, l'intelligenza per una donna era una **dote assai negativa ai fini del matrimonio**; per i **costumi dell'epoca** una moglie non doveva essere altro che una **fattrice statica e adorante**. Una donna che facesse domande, una moglie curiosa, inquieta, era **l'ultima cosa da augurarsi**. Per questo la solitudine della mia giovinezza è stata veramente grande. A dire il vero, verso i diciotto-vent'anni, dato che **ero carina e anche piuttosto benestante**, avevo **nugoli spasimanti** intorno a me. Appena dimostravo di saper parlare però, appena aprivo loro il cuore con i pensieri che vi si agitavano dentro, intorno a me si formava il vuoto. Naturalmente avrei anche potuto **stare zitta** e fingermi quello che non ero ma **purtroppo** – o per fortuna – nonostante l'educazione avuta una parte di me era ancora viva e quella parte **si rifiutava di mostrarsi falsa**.

Terminato il liceo, come sai, **non proseguii** gli studi perché mio padre **si oppose. Si trattò di una rinuncia molto difficile** per me. Proprio per questo ero **assetata di sapere**. Appena un giovanotto dichiarava di studiare medicina **lo bersagliavo** di domande, volevo sapere tutto. Così facevo anche con i futuri **ingegneri**, con i futuri **avvocati**. Questo mio comportamento **disorientava** molto, sembrava che mi interessasse **più l'attività che la persona**, e **così forse era effettivamente**. Quando parlavo con le mie amiche, con le mie compagne di scuola, avevo la sensazione **di appartenere** a mondi **distanti anni luce**. Il grande **spartiacque** tra me e loro era la **malizia femminile**. Tanto io ne ero **completamente priva**, altrettanto loro l'avevano sviluppata **alla massima potenza**. Dietro l'apparente arroganza, dietro l'apparente sicurezza, gli uomini

159

ingenui naïve

leve molto primitive very primitive levers

basta premerne una all it takes is to pull one of them

pesciolini fritti little fish ready to be fried

accettavano bigliettini they accepted little notes [from the young men]

li respingevano they refused them/sent them back

strusciavano they brushed up against

giovani cerbiatte young does (female deer)

lusinghe enticements

lealtà loyalty

mai e poi mai never, ever, ever

imbrogliare deceive, mislead

con il quale with whom

fino a notte fonda late into the night

senza mai stancarmi without my ever getting tired

basato sull'amicizia based on friendship

stima respect, esteem

inghippo cheating, ploys

virile nel senso antico virile in the old sense, *i.e.*, strong, confident, assertive. The word, as employed in the *senso antico,* obviously could be used to describe a woman.

paritario equal

incuteva terrore struck terror

corteggiatori suitors

mi ero ridotta I was reduced to

di solito spetta alle brutte usually left for the ugly ones

senso unico one-way

pene d'amore lovesickness

coetanee peers

zia nubile unmarried aunt

Tizio...Caio names used to mean "this or the other guy." They are part of the threesome Tizio, Caio e Sempronio, the Italian equivalent of Tom, Dick, and Harry.

sono estremamente fragili, **ingenui**; hanno al loro interno delle **leve molto primitive**, **basta premerne una** per farli cadere nella padella come **pesciolini fritti**. Io l'ho capito abbastanza tardi, ma le mie amiche lo sapevano già allora, a quindici anni, a sedici.

Con talento naturale **accettavano bigliettini** o **li respingevano**, ne scrivevano di un tono o dell'altro, davano appuntamenti e non ci andavano, o ci andavano molto tardi. Durante i balli, **strusciavano** la parte giusta del corpo e, strusciandosi, guardavano l'uomo negli occhi con l'espressione intensa delle **giovani cerbiatte**. Questa è la malizia femminile, queste sono le **lusinghe** che portano al successo con gli uomini. Ma io, capisci, ero come una patata, non capivo assolutamente niente di ciò che mi succedeva intorno. Anche se ti può sembrare strano, c'era un profondo senso di **lealtà** in me e questa lealtà mi diceva che **mai e poi mai** avrei potuto **imbrogliare** un uomo. Pensavo che un giorno avrei trovato un giovanotto **con il quale** avrei potuto parlare **fino a notte fonda senza mai stancarmi**; parlando e parlando ci saremmo accorti di vedere le cose nello stesso modo, di provare le stesse emozioni. Allora sarebbe nato l'amore, sarebbe stato un amore **basato sull'amicizia**, sulla **stima**, non sulla facilità dell'**inghippo**.

Volevo un'amicizia amorosa e in questo ero molto virile, **virile nel senso antico**. Era il rapporto **paritario**, credo, che **incuteva terrore** ai miei **corteggiatori**. Così, lentamente, **mi ero ridotta** al ruolo che **di solito spetta alle brutte**. Ero piena di amici, ma erano amicizie a **senso unico**; venivano da me soltanto per confessarmi le loro **pene d'amore**. Una dopo l'altra, le mie compagne si sposavano. A un certo punto della mia vita mi sembra di non aver fatto altro che andare a matrimoni. Alle mie **coetanee** nascevano i bambini e io ero sempre la **zia nubile**, vivevo a casa con i miei genitori ormai quasi rassegnata a restare signorina in eterno. «Ma cosa mai avrai nella testa», diceva mia madre, «possibile che **Tizio** non ti

neppure not even

derivavano were a result of

bizzarria strangeness

ardente desiderio burning desire

mi provocava caused/aroused in me

diffidenza *here:* apprehension (*literally:* mistrust, suspicion)

pur although

guadagnare earn

davo ripetizioni I tutored, I gave private lessons

materie subjects

impegni commitments

biblioteca comunale city library. In Italy, these tend to be reference libraries and not lending libraries.

rendere conto a nessuno to answer to anyone

ne avevo voglia I felt like it

pesarmi weigh on me

colpo apoplettico apoplectic fit (possibly a stroke)

tenendolo a braccetto on my arm

vetrine shop windows

ricamare embroider

a fare acquerelli to paint watercolors

pompieri firemen

sfondato la porta broken down the door

carcassa secca dried-up carcass

162

piaccia e **neppure Caio**?» Per loro era evidente che le difficoltà che incontravo con l'altro sesso **derivavano** dalla **bizzarria** del mio carattere. Mi dispiaceva? Non lo so.

In verità, non sentivo dentro di me un **ardente desiderio** di famiglia. L'idea di mettere al mondo un figlio **mi provocava** una certa **diffidenza**. Avevo sofferto troppo da bambina e temevo di far soffrire altrettanto una creatura innocente. Inoltre, **pur** vivendo ancora a casa, ero completamente indipendente, padrona di ogni ora delle mie giornate. Per **guadagnare** un po' di soldi **davo ripetizioni** di greco e di latino, le mie **materie** preferite. A parte questo, non avevo altri **impegni**, potevo passare pomeriggi interi alla **biblioteca comunale** senza dover **rendere conto a nessuno**, potevo andare in montagna tutte le volte che **ne avevo voglia**.

Insomma la mia vita, rispetto a quella delle altre donne, era libera e avevo molta paura di perdere questa libertà. Eppure tutta questa libertà, questa apparente felicità, col passare del tempo la sentivo sempre più falsa, più forzata. La solitudine, che all'inizio mi era sembrata un privilegio, cominciava a **pesarmi**. I miei genitori stavano diventando vecchi, mio padre aveva avuto un **colpo apoplettico** e camminava male. Tutti i giorni, **tenendolo a braccetto**, lo accompagnavo a comprare il giornale, avrò avuto ventisette o ventott'anni. Vedendo la mia immagine rifletersi assieme alla sua nelle **vetrine**, ad un tratto, mi sono sentita vecchia anch'io e ho capito che corso stava prendendo la mia vita: di lì a poco lui sarebbe morto, mia madre l'avrebbe seguito, sarei rimasta sola in una grande casa piena di libri, per passare il tempo mi sarei messa forse a **ricamare** oppure **a fare acquerelli** e gli anni sarebbero volati via uno dopo l'altro. Finché una mattina qualcuno, preoccupato dal non vedermi da un po' di giorni, avrebbe chiamato i **pompieri**, i pompieri avrebbero **sfondato la porta** e avrebbero trovato il mio corpo disteso sul pavimento. Ero morta e ciò che restava di me non era molto diverso dalla **carcassa secca** che resta a terra quando muoiono gli insetti.

sfiorire withering

intendo I mean

orgoglio pride
supposta supposed
chessò (*slang*) who knows

le ali tarpate [my] wings were clipped
inettitudine ineptitude
da autodidatta as a self-taught [archaeologist]
freno thing stopping me (*literally:* brake)
mi frenava put the brakes on me
mi impediva blocked me
Non ne avevo la minima idea I didn't have the slightest idea

di rado rarely
trattare la vendita negotiate the sale
privo di eredi maschi having no male heirs
Al primo impatto At first impact
antipatico unpleasant, disagreeable
Veniva dall'Italia He came from Italy. The protagonist comes
    from Trieste, a thriving Austro-Hungarian commercial
    and cultural center until it was annexed by Italy after
    World War I. As a proud "Austrian," she refers to her
    compatriots farther south as "Italians."
si diceva da noi where I come from it's said
leziosità an affected, overly sentimental manner
a tenere compagnia to keep company
giungesse arrived
Ero seccatissima I was truly annoyed

Sentivo il mio corpo di donna **sfiorire** senza avere vissuto e questo mi dava una grande tristezza. E poi mi sentivo sola, molto sola. Da quando ero nata non avevo mai avuto nessuno con cui parlare, con cui parlare davvero, **intendo**. Certo ero molto intelligente, leggevo molto, come diceva mio padre, alla fine, con un certo **orgoglio**: «Olga non si sposerà mai perché ha troppa testa». Ma tutta questa **supposta** intelligenza non portava da nessuna parte, non ero capace, **chessò**, di partire per un grande viaggio, di studiare in profondità qualcosa. Per il fatto di non aver frequentato l'università mi sentivo **le ali tarpate**. In realtà la causa della mia **inettitudine**, della incapacità a far fruttare le doti, non veniva da questo. In fondo Schliemann aveva scoperto Troia **da autodidatta**, no? Il mio **freno** era un altro, il piccolo morto dentro, ricordi? Era lui che **mi frenava**, era lui che **mi impediva** di andare avanti. Stavo ferma e aspettavo. Cosa? **Non ne avevo la minima idea.**

Il giorno in cui venne Augusto la prima volta a casa nostra era caduta la neve. Lo ricordo perché la neve da queste parti cade **di rado** e perché, proprio a causa della neve, quel giorno il nostro ospite era arrivato a pranzo in ritardo. Augusto, come mio padre, si occupava dell'importazione del caffè. Era venuto a Trieste per **trattare la vendita** della nostra azienda. Dopo il colpo apoplettico mio padre, **privo di eredi maschi**, aveva deciso di liberarsi della ditta per trascorrere gli ultimi anni in pace. **Al primo impatto** Augusto mi era sembrato molto **antipatico**. **Veniva dall'Italia**, come **si diceva da noi** e, come tutti gli italiani aveva una **leziosità** che trovavo irritante. È strano ma succede spesso che persone importanti della nostra vita, a prima vista non piacciano per niente. Dopo pranzo mio padre si era ritirato a riposare e io ero stata lasciata in salotto **a tenere compagnia** all'ospite in attesa che **giungesse** il momento per lui di prendere il treno. **Ero seccatissima.** In quell'ora o poco

sgarberia rudeness
monosillabo monosyllable

distacco detachment
rango inferiore lower class

indovina guess
la fede al dito a wedding ring on his finger
vedovo a widower

carta argentata silver wrapping paper

firma signature

marzapane marzipan, a confection made of almond paste

congedarsi to take his leave
senza neppure interpellarmi without even consulting me

mi fece recapitare had sent to me
mazzo di rose rosse bouquet of red roses

divennero settimanali (*passato remoto*) became weekly

più che siamo rimasti assieme l'ho trattato con **sgarberia**. A ogni sua domanda rispondevo con un **monosillabo**, se lui stava zitto, stavo zitta anch'io. Quando, sulla porta, mi ha detto: «Allora la saluto, signorina», gli ho offerto la mano con lo stesso **distacco** con cui una nobildonna la concede a un uomo di **rango inferiore**.

«Per essere un italiano è simpatico il signor Augusto», aveva detto la sera a cena mia madre. «È una persona onesta», aveva risposto mio padre. «Ed è anche bravo in affari.» A quel punto **indovina** cos'è successo? La mia lingua è partita da sola: «E non ha **la fede al dito**!» ho esclamato con vivacità improvvisa. Quando mio padre ha risposto: «Infatti, poverino, è **vedovo**», ero già rossa come un peperone e in profondo imbarazzo con me stessa.

Due giorni dopo, di ritorno da una lezione, trovai nell'ingresso un pacco dalla **carta argentata**. Era il primo pacco che ricevevo nella mia vita. Non riuscivo a capire chi mai me l'avesse mandato. Infilato sotto la carta c'era un biglietto. *Conosce questi dolci?* Sotto c'era la **firma** di Augusto.

La sera, con quei dolci sul comodino, non riuscivo a prendere sonno. Li avrà mandati per cortesia verso mio padre, mi dicevo, e intanto mangiavo un **marzapane** dietro l'altro. Tre settimane dopo tornò a Trieste, «per affari» disse durante il pranzo, ma invece di ripartire subito, come l'altra volta, si fermò un po' in città. Prima di **congedarsi** chiese a mio padre il permesso di portarmi a fare un giro in macchina e mio padre, **senza neppure interpellarmi**, glielo concesse. Girammo tutto il pomeriggio per le strade della città, lui parlava poco, mi chiedeva notizie dei monumenti e poi stava in silenzio ad ascoltarmi. Mi ascoltava, questo per me era un vero miracolo.

La mattina in cui partì **mi fece recapitare** un **mazzo di rose rosse**. Mia madre era tutta agitata, io fingevo di non esserlo ma per aprire il biglietto e leggerlo attesi parecchie ore. In breve tempo le sue visite **divennero settimanali**. Tutti i sabati

addomesticare   tame

tana   den

Sedotta   Seduced

tattica   tactic

Il processo   The mechanism/process

confidenza   intimacy (*literally:* shared confidence)

apprezzava   he appreciated

pacatezza   serenity

Ci sposammo   (*passato remoto*) We were married

sobria   sober, with no frills

si rifugiò   (*passato remoto*) took refuge

raggiunsi   (*passato remoto*) I reached

L'Aquila   the provincial seat of Italy's central Abruzzi region

avvenimenti   [historical] events

fatto cenno   made mention of

le leggi razziali   the 1938 Italian race laws that targeted, in
   particular, Jews and Gypsies. "Undesirable" children were
   expelled from schools and adults were stripped of their
   civil rights and forbidden to marry outside their ethnic or
   religious group. Eventually, thousands were deported to
   concentration camps.

era scoppiata la guerra   war had broken out

millimetrici spostamenti   barely discernable/slightest changes

anima   soul

atteggiamento   attitude

politicizzata   politicized

pagliacciata   buffoonery

definiva   he referred to

il duce   the Captain, title used for Mussolini

cocomeri   watermelons

gerarchi   high government officials

ridicolo e fastidioso   ridiculous and bothersome

al sabato italiano... una vedova   every Saturday, march [in
   parades] and sing [patriotic songs] while dressed up like a
   widow [*i.e.*, in black]

veniva a Trieste e tutte le domeniche ripartiva per la sua città. Ti ricordi cosa faceva il Piccolo Principe per **addomesticare** la volpe? Andava tutti i giorni davanti alla sua **tana** e aspettava che lei uscisse. Così, piano piano, la volpe imparò a conoscerlo e a non avere paura. Non solo, imparò anche a emozionarsi alla vista di tutto ciò che le ricordava il suo piccolo amico. **Sedotta** dallo stesso tipo di **tattica**, anch'io aspettandolo cominciavo ad agitarmi già dal giovedì. **Il processo** di addomesticamento era iniziato. Di lì a un mese tutta la mia vita ruotava intorno all'attesa del fine settimana. In poco tempo si era creata tra noi una grande **confidenza**. Con lui finalmente potevo parlare, **apprezzava** la mia intelligenza e il mio desiderio di sapere; io in lui apprezzavo la **pacatezza**, la disponibilità all'ascolto, quel senso di sicurezza e protezione che possono dare a una giovane donna gli uomini più grandi di età.

Ci sposammo con una cerimonia **sobria** il 1° giugno del '40. Dieci giorni dopo l'Italia entrò in guerra. Per ragioni di sicurezza, mia madre **si rifugiò** in un paesino di montagna, in Veneto, mentre io, con mio marito, **raggiunsi L'Aquila.**

A te che hai letto la storia di quegli anni soltanto sui libri, che l'hai studiata invece di viverla, sembrerà strano che di tutti i tragici **avvenimenti** di quel periodo non abbia mai **fatto cenno.** C'era il fascismo, **le leggi razziali, era scoppiata la guerra** e io continuavo soltanto a occuparmi delle piccole infelicità personali, dei **millimetrici spostamenti** della mia **anima.** Non credere però che il mio **atteggiamento** fosse eccezionale, al contrario. Tranne una piccola minoranza **politicizzata,** tutti nella nostra città si sono comportati in questo modo. Mio padre, ad esempio, considerava il fascismo una **pagliacciata.** Quand'era a casa **definiva il duce** "quel venditore di **cocomeri**". Poi, però, andava a cena con i **gerarchi** e restava a parlare con loro fino a tardi. Allo stesso modo io trovavo assolutamente **ridicolo e fastidioso** andare **al sabato italiano, marciare e cantare vestita con i colori di una vedova.** Tuttavia ci andavo

una seccatura a nuisance, bore
sottoporsi undertake
comportamento del genere behavior like this
aspirazioni aspirations

palazzo nobiliare noble palace, one of the fine old buildings
    in Italy's town centers
cupi dark, gloomy
Appena As soon as
stringere il cuore heartsick
appena only
neanche not even
smarrimento bewilderment, state of confusion
distrarmi distract me
Un giorno sì e un giorno no Every other day
andavamo a fare delle passeggiate we took walks/hikes
dei dintorni in the surrounding area
entrambi both of us
escursioni outings
arroccati sui cocuzzoli perched at the summit
presepi crèche, manger scenes
rasserenata cheered up
mucchio di cose bunch of things
lo devo proprio a lui I owe to him
riprese started back up
domestica female servant
faccende chores

Presi l'abitudine (*passato remoto*) I got into the habit
Percorrevo I traveled
con passo furioso at a furious pace
a fare chiarezza to make things clear
fermandomi stopping myself
abbaglio blunder

lo stesso, pensavo che fosse soltanto **una seccatura** alla quale bisognava **sottoporsi** per vivere tranquilli. Non è certo grandioso un **comportamento del genere**, ma è molto comune. Vivere tranquilli è una delle massime **aspirazioni** dell'uomo, lo era a quei tempi e probabilmente lo è anche adesso.

A L'Aquila andammo ad abitare nella casa della famiglia di Augusto, un grande appartamento al primo piano di un **palazzo nobiliare** del centro. Era arredato con mobili **cupi**, pesanti, la luce era scarsa, l'aspetto sinistro. **Appena** entrata mi sentii **stringere il cuore**. È qui che dovrò vivere mi chiesi, con un uomo che conosco da **appena** sei mesi, in una città in cui non ho **neanche** un amico? Mio marito capì subito lo stato di **smarrimento** in cui mi trovavo e per le prime due settimane fece tutto il possibile per **distrarmi**. **Un giorno sì e un giorno no** prendeva la macchina e **andavamo a fare delle passeggiate** sui monti **dei dintorni**. Avevamo **entrambi** una grande passione per le **escursioni**. Vedendo quelle montagne così belle, quei paesi **arroccati sui cocuzzoli** come nei **presepi** mi ero un po' **rasserenata**, in qualche modo mi sembrava di non aver lasciato il Nord, la mia casa. Continuavamo a parlare molto. Augusto amava la natura, gli insetti in particolare, e camminando mi spiegava un **mucchio di cose**. Gran parte del mio sapere sulle scienze naturali **lo devo proprio a lui**.

Al termine di quelle due settimane che erano state il nostro viaggio di nozze, lui **riprese** il lavoro e io cominciai la mia vita, sola nella grande casa. Con me c'era una vecchia **domestica**, era lei che si occupava delle principali **faccende**. Come tutte le mogli borghesi dovevo soltanto programmare il pranzo e la cena, per il resto non avevo niente da fare. **Presi l'abitudine** di uscire ogni giorno da sola a fare delle lunghe passeggiate. **Percorrevo** le strade avanti e indietro **con passo furioso**, avevo tanti pensieri in testa e tra tutti questi pensieri non riuscivo **a fare chiarezza.** Lo amo, mi chiedevo **fermandomi** all'improvviso, oppure è stato tutto un grande **abbaglio**? Quando stavamo

cosa provo what do I feel

tenerezza tenderness

chiacchiere gossip, tittle-tattle, rumors

La tedesca *used disparagingly:* The German

voci anonime anonymous voices

«va in giro da sola per le strade a tutte le ore.» she goes through the streets by herself at all hours. Here, the small-town gossipers are implying she is a streetwalker, since in their opinion a woman of good breeding would never be out walking at night by herself.

strabiliata astonished

abitudini habits, practices

dare scandolo cause a scandal

dispiaciuto sorry, disappointed

cittadina civic

interrompere interrupt

uscite soltarie solitary outings

spenta lifeless

agivo come un automa I moved like a robot

opachi *here:* dulled

colleghi colleagues

Benché Although

pressappoco more or less

coetanee the same age

Rientrato nel suo ambiente Back in his own element

circolo club

rimaneva a casa he stayed at home

coleotteri coleopteran insects (beetles, fireflies, and weevils fall into this category)

sogno dream

noto a nessuno yet unknown

tramandato passed on

scivolarmi alle spalle slip away (*literally:* slip over my shoulders)

più svelto more quickly

seduti a tavola o la sera in salotto lo guardavo e guardandolo mi chiedevo: **cosa provo**? Provavo **tenerezza**, questo era certo, e anche lui sicuramente la provava per me. Ma era questo l'amore? Era tutto qui? Non avendo mai provato nient'altro non riuscivo a rispondermi.

Dopo un mese arrivarono le prime **chiacchiere** alle orecchie di mio marito. «**La tedesca**», avevano detto delle **voci anonime**, «**va in giro da sola per le strade a tutte le ore.**» Ero **strabiliata**. Cresciuta con delle **abitudini** diverse, non avrei mai potuto immaginare che delle innocenti passeggiate potessero **dare scandalo**. Augusto era **dispiaciuto**, capiva che per me la cosa era incomprensibile, tuttavia per la pace **cittadina** e il suo buon nome mi pregò lo stesso di **interrompere** le mie **uscite solitarie**. Dopo sei mesi di quella vita mi sentivo completamente **spenta**. Il piccolo morto dentro era diventato un morto enorme, **agivo come un automa**, avevo gli occhi **opachi**. Quando parlavo, sentivo le mie parole distanti come se uscissero dalla bocca di un altro. Intanto avevo conosciuto le mogli dei **colleghi** di Augusto e il giovedì mi incontravo con loro in un caffè del centro.

Benché fossimo **pressappoco coetanee** avevamo veramente poche cose da dirci. Parlavamo la stessa lingua ma questo era l'unico punto in comune.

Rientrato nel suo ambiente, in breve tempo Augusto cominciò a comportarsi come un uomo delle sue parti. Durante i pranzi stavamo ormai quasi in silenzio, quando mi sforzavo di raccontargli qualcosa rispondeva sì e no con un monosillabo. La sera poi andava spesso al **circolo**, quando **rimaneva a casa** si chiudeva nel suo studio a riordinare le collezioni di **coleotteri**. Il suo grande **sogno** era di scoprire un insetto che ancora non fosse **noto a nessuno**, così il suo nome si sarebbe **tramandato** per sempre nei libri di scienze. Io il nome l'avrei voluto tramandare in un altro modo, cioè con un figlio, ormai avevo trent'anni e sentivo il tempo **scivolarmi alle spalle** sempre **più svelto**.

deludente   disappointing
alle ore dei pasti   at mealtimes
esibire con orgoglio   show off with pride
in Duomo   at mass in the cathedral
tranquillizzante   calming, reassuring
non importargli un granché   not to matter much to him
disponibile   open (*literally:* available)
corteggiamento   [our] courtship
compiacere   give pleasure to
indurle   incite them
assicuratami al nido   guaranteed my presence in the nest

ti parrà strano   it will seem strange to you
ti ferisca   he injures you
ti faccia del male   he hurts you/does you some harm
guaio   problem
ribellare   rebel

sposa felice   happy bride
incrinare   crack, shake
lontana cugina   distant female cousin
lo accudiva   took care of him
Novità?   Any news? (*i.e.,* Are you pregnant yet?)

senilità   senility
tenerezza   tenderness
deludere   disappoint (*literally:* delude)
aspettative   expectations

prolungata   prolonged
grondanti di retorica   dripping with rhetoric
con minuzia   meticulously

Da quel punto di vista le cose andavano molto male. Dopo una prima notte piuttosto **deludente**, non era successo molto altro. Avevo la sensazione che, più di ogni altra cosa, Augusto volesse trovare qualcuno a casa **alle ore dei pasti**, qualcuno da **esibire con orgoglio** la domenica **in Duomo**; della persona che c'era dietro a quell'immagine **tranquillizzante** sembrava **non importargli un granché**. Dov'era finito l'uomo piacevole e **disponibile** del **corteggiamento**? Possibile che l'amore dovesse finire in questo modo? Augusto mi aveva raccontato che gli uccelli in primavera cantano più forte per **compiacere** le femmine, per **indurle** a fare il nido assieme a loro. Aveva fatto anche lui così, una volta **assicuratami al nido** aveva smesso di interessarsi alla mia esistenza. Stavo lì, lo tenevo caldo e basta.

Lo odiavo? No, **ti parrà strano** ma non riuscivo a odiarlo. Per odiare qualcuno bisogna che **ti ferisca**, che **ti faccia del male**. Augusto non mi faceva niente, questo era il **guaio**. È più facile morire di niente che di dolore, al dolore ci si può **ribellare**, al niente no.

Quando sentivo i miei genitori naturalmente dicevo che andava tutto bene, mi sforzavo di fare la voce della giovane **sposa felice**. Erano sicuri di avermi lasciata in buone mani e non volevo **incrinare** questa loro sicurezza. Mia madre stava nascosta sempre in montagna, mio padre era rimasto solo nella villa di famiglia con una **lontana cugina** che **lo accudiva**. «Novità?» mi chiedeva una volta al mese e io regolarmente rispondevo no, ancora no. Ci teneva molto ad avere un nipotino, con la **senilità** gli era venuta una **tenerezza** che non aveva mai avuto prima. Lo sentivo un po' più vicino a me con questo cambiamento e mi dispiaceva **deludere** le sue **aspettative**. Allo stesso tempo, però, non avevo abbastanza confidenza per raccontargli i motivi di quella **prolungata** sterilità. Mia madre inviava lunghe lettere **grondanti di retorica**. Mia adorata figlia, scriveva in cima al foglio, e sotto elencava **con minuzia** tutte le poche cose che le erano successe quel giorno. Alla fine mi comunicava sempre di

ai ferri   [with her] knitting needles
l'ennesimo completino   the umpeenth little baby outfit
accartocciavo su me stessa   scrutinized myself

sollevare gli occhi   raising his eyes

scuoteva il capo   shook his head
tu hai proprio la fantasia malata   *in effect:* you're off your
    rocker
luogo comune   commonplace, cliché
assomigliargli   look like him [the owner]

coleottero   beetle (one of the insects Augusto collected)

in modo ossessivo   obsessively
che gli provocasse   that incited in him
un benché minimo trasporto   even the slightest passion
pinze   tweezers
grillo talpa   mole cricket
mandibole   jaws
divorava   devoured
vestito da sposa   wedding dress
cartone   cardboard

inferni domestici   domestic infernos/hellholes
soccombere   to succumb to, give in

aver terminato **ai ferri l'ennesimo completino** per il nipote in arrivo. Intanto io mi **accartocciavo su me stessa**, ogni mattina, guardandomi nello specchio, mi trovavo più brutta. Ogni tanto la sera dicevo ad Augusto: «Perché non parliamo?». «Di cosa?» rispondeva lui senza **sollevare gli occhi** dalla lente con la quale stava esaminando un insetto. «Non so», dicevo io, «magari ci raccontiamo qualcosa.» Allora lui **scuoteva il capo**: «Olga», diceva, «**tu hai proprio la fantasia malata**».

È un **luogo comune** che i cani dopo una lunga convivenza con il padrone finiscano piano piano per **assomigliargli**. Avevo l'impressione che a mio marito stesse succedendo la stessa cosa, più passava il tempo più in tutto e per tutto somigliava a un **coleottero**. I suoi movimenti non avevano più nulla di umano, non erano fluidi ma geometrici, ogni gesto procedeva a scatti. E così la voce era priva di timbro, saliva con rumore metallico da qualche luogo imprecisato della gola. Si interessava degli insetti e del suo lavoro **in modo ossessivo** ma, oltre a quelle due cose, non c'era nient'altro **che gli provocasse un benché minimo trasporto**. Una volta, tenendolo sospeso tra le **pinze**, mi aveva mostrato un orribile insetto, mi pare si chiamasse **grillo talpa**. «Guarda che **mandibole**», mi aveva detto, «con queste può mangiare davvero di tutto.» La notte stessa l'avevo sognato in quella forma, era enorme e **divorava** il mio **vestito da sposa** come fosse **cartone**.

Dopo un anno abbiamo cominciato a dormire in stanze separate, lui stava alzato con i suoi coleotteri fino a tardi e non voleva disturbarmi, così almeno aveva detto. Raccontato così il mio matrimonio ti sembrerà qualcosa di straordinariamente terribile ma di straordinario non c'era proprio niente. I matrimoni, a quel tempo, erano quasi tutti così, dei piccoli **inferni domestici** in cui uno dei due prima o poi doveva **soccombere**.

Perché non mi ribellavo, perché non prendevo la mia valigia per tornare a Trieste?

maltrattamenti abuses, cruelties

temperamento ribelle rebellious nature

raminga wandering

alzato..un dito raised a hand (*literally:* a finger) to

Non mi ha mai fatto mancare niente He never let me want for anything

pasticceria bakery, pastry shop

con discrezione with discretion

aveva cambiato discorso he changed the subject

spettrali ghostly

disgrazia by accident

si era suicidata she committed suicide

a svitare assi unscrewing panels

a smontare i cassetti going through drawers

con furore furiously

traccia trace

sospetto suspicion

sottofondo di un armadio very bottom of a closet

Ne tirai fuori (*passato remoto*) I pulled it out

lo indossai (*passato remoto*) I put it on

taglia size

sommesso softly

singhiozzo sob

destino è segnato fate is sealed

inginocchiatoio prie-dieu, kneeler (for praying)

devota devout

frequentazione abituale habitual attendance

Perché allora non c'era né la separazione, né il divorzio. Per rompere un matrimonio ci dovevano essere dei gravi **maltrattamenti**, oppure bisognava avere un **temperamento ribelle**, fuggire, andarsene per sempre **raminga** per il mondo. Ma la ribellione, come sai, non fa parte del mio carattere e Augusto con me non ha mai **alzato** non dico **un dito**, ma neanche la voce. **Non mi ha mai fatto mancare niente.** La domenica, tornando dalla messa, ci fermavamo alla **pasticceria** dei fratelli Nurzia e mi faceva comprare tutto ciò di cui avevo voglia. Non ti sarà difficile immaginare con quali sentimenti mi svegliavo ogni mattina. Dopo tre anni di matrimonio avevo un solo pensiero in mente ed era quello della morte.

Della sua moglie precedente Augusto non mi parlava mai, le rare volte che, **con discrezione**, l'avevo interrogato, **aveva cambiato discorso.** Con il tempo, camminando nei pomeriggi di inverno tra quelle stanze **spettrali** mi ero convinta che Ada – così si chiamava la prima moglie – non era morta di malattia o di **disgrazia** ma **si era suicidata.** Quando la domestica era fuori passavo il mio tempo **a svitare assi, a smontare i cassetti,** cercavo **con furore** una **traccia,** un segno che confermasse il mio **sospetto.** Un giorno di pioggia, nel **sottofondo di un armadio,** trovai dei vestiti da donna, erano i suoi. **Ne tirai fuori** uno scuro e **lo indossai,** avevamo la stessa **taglia.** Guardandomi allo specchio, cominciai a piangere. Piangevo in modo **sommesso,** senza un **singhiozzo,** come chi sa già che il suo **destino è segnato.** In un angolo della casa c'era un **inginocchiatoio** di legno massiccio che era appartenuto alla madre di Augusto, una donna molto **devota.** Quando non sapevo cosa fare mi chiudevo in quella stanza e stavo per ore lì, con le mani giunte. Pregavo? Non lo so. Parlavo o cercavo di parlare con Qualcuno che supponevo stare più in alto della mia testa. Dicevo, Signore fammi trovare la mia via, se la mia via è questa aiutami a sopportarla. La **frequentazione abituale** della chiesa – alla quale ero stata costretta dal mio stato di

a pormi to pose myself

L'incenso The incense
mi stordiva made me dizzy
Sacre Scritture Holy Scriptures
vibrava debolmente feebly vibrated/moved
il parroco the parish priest
paramenti sacri sacred vestments
naso a spugna spongy nose
porcini little piggy
irrimediabilmente irredeemably, hopelessly
non è che un imbroglio it's nothing but a scam
menti deboli weak minds
Ciononostante That notwithstanding
il Vangelo the Gospels
mi infervoravano carried me away, enthused me so
libero pensatore free thinker
convertita converted [from Judaism to Christianity]
conformismo sociale social conformity
fede faith
il peso di un macigno the weight of a boulder
marchio di infamia mark of infamy

abbracciarne embrace

traditori traitors

aneddoti anecdotes

Il regno di Dio The Kingdom of God
periscopio periscope
scrutare le anse del corpo scrutinize every nook and cranny
  of the body
pieghe folds
nebbia fog

moglie – mi aveva spinto **a pormi** di nuovo tante domande, domande che avevo sepolto dentro di me fin dall'infanzia. **L'incenso mi stordiva** e così la musica dell'organo. Ascoltando le **Sacre Scritture** qualcosa **vibrava debolmente** dentro di me. Quando però incontravo **il parroco** per la strada senza i **paramenti sacri**, quando guardavo il suo **naso a spugna** e gli occhi un po' **porcini**, quando ascoltavo le sue domande banali e **irrimediabilmente** false, non vibrava più niente e mi dicevo ecco, **non è che un imbroglio**, un modo per far sopportare alle **menti deboli** l'oppressione nella quale si trovano a vivere. **Ciononostante**, nel silenzio della casa, amavo leggere **il Vangelo**. Molte parole di Gesù le trovavo straordinarie, **mi infervoravano** al punto da ripeterle più volte a voce alta.

La mia famiglia non era per niente religiosa, mio padre si considerava un **libero pensatore** e mia madre, **convertita** già da due generazioni, come ti ho già detto, frequentava la messa per puro e semplice **conformismo sociale**. Le rare volte che l'avevo interrogata sui fatti della **fede** mi aveva detto: «Non lo so, la nostra famiglia è senza religione». Senza religione. Questa frase ha avuto **il peso di un macigno** sulla fase più delicata della mia infanzia, quella in cui mi interrogavo sulle cose più grandi. C'era una specie di **marchio di infamia** in quelle parole, avevamo abbandonato una religione per **abbracciarne** un'altra verso la quale non nutrivamo il minimo rispetto. Eravamo **traditori** e come traditori per noi non c'era posto né in cielo né in terra, da nessuna parte.

Così, a parte i pochi **aneddoti** imparati dalle suore, fino a trent'anni, del sapere religioso non avevo conosciuto altro. **Il regno di Dio** sta dentro di voi, mi ripetevo camminando per la casa vuota. Lo ripetevo e cercavo di immaginarmi dove fosse. Vedevo il mio occhio come un **periscopio** scendere all'interno di me, **scrutare le anse del corpo**, le **pieghe** ben più misteriose della mente. Dove stava il regno di Dio? Non riuscivo a vederlo, c'era **nebbia** intorno al mio cuore, una

colline verdeggianti green hills
lucidità lucidity
sto impazzendo I'm going crazy
zitelle spinsters
impercettibilmente imperceptibly
delirio mistico mystic rapture/frenzy
a fatica with difficulty
campane bells
battevano il tempo chimed the hour
mi infilavo del cottone I shoved cotton balls
crepitio rustling
si arrampicavano they climbed up
carta da parati wallpaper
stridevano they screeched
piastrelle tiles
strusciavano they slithered
trattenevo il fiato I held my breath

stereotipato *here:* forced, insincere
lo accoglievo I greeted him

cavallo da calesse carriage horse

vagai (*passato remoto*) I roamed
in trance in a trance
riuscisse a scuotermi dal torpore that could shake me out
    of my torpor
in un'unica sequenza in one long scene
svolgersi taking place

nebbia pesante, non le **colline verdeggianti** e luminose che immaginavo essere il paradiso. Nei momenti di **lucidità** mi dicevo **sto impazzendo**, come tutte le **zitelle** e le vedove, lentamente, **impercettibilmente**, sono caduta nel **delirio mistico**. Dopo quattro anni di quella vita, distinguevo sempre più **a fatica** le cose false da quelle vere. Le **campane** del Duomo vicino **battevano il tempo** ogni quarto d'ora, per non sentirle o sentirle meno **mi infilavo del cotone** nelle orecchie.

Mi era presa l'ossessione che gli insetti di Augusto non fossero affatto morti, di notte sentivo il **crepitio** delle loro zampe in giro per la casa, camminavano dappertutto, **si arrampicavano** sulla **carta da parati, stridevano** sulle **piastrelle** della cucina, **strusciavano** sui tappeti del salotto. Stavo lì a letto e **trattenevo il fiato** aspettando che da sotto lo spiraglio della porta entrassero nella mia stanza. Ad Augusto cercavo di nascondere questo mio stato. La mattina, con il sorriso sulle labbra, gli annunciavo ciò che avrei fatto per pranzo, continuavo a sorridere finché non era uscito dalla porta. Con lo stesso sorriso **stereotipato lo accoglievo** al ritorno.

Come il mio matrimonio, anche la guerra era al suo quinto anno, nel mese di febbraio le bombe erano cadute anche su Trieste. Durante l'ultimo attacco la casa della mia infanzia era stata completamente distrutta. L'unica vittima era stato il **cavallo da calesse** di mio padre, l'avevano trovato in mezzo al giardino privo di due zampe.

A quei tempi non c'era la televisione, le notizie viaggiavano in modo più lento. Che avevamo perso la casa l'ho saputo il giorno dopo, mi aveva telefonato mio padre. Già da come aveva detto «pronto» avevo capito che era accaduto qualcosa di grave, aveva la voce di una persona che da tempo ha smesso di vivere. Senza più un luogo mio dove tornare mi sentii davvero persa. Per due o tre giorni **vagai** per casa come **in trance**. Non c'era niente che **riuscisse a scuotermi dal torpore, in un'unica sequenza,** monotona e monocroma, vedevo **svolgersi** i miei anni uno dopo l'altro fino alla morte.

immutabile immutable, unchangeable
binario track

senza via di scampo with no way out
picco peak
raffica di vento gust of wind
si stravolge everything changes radically
bombardamento bombing
provvisorio temporary

scordata forgotten

riprendere in mano take possession of
lasciata in gestione left under other management

villino sull'altopiano small house on a high plateau

previsioni forecasts
tempra caparbia obstinate temperament
minata undermined
si rifece vivo in me con prepotenza il desiderio reawakened
    in me an overwhelming desire

assolato sunny
fegato liver
le acque the waters [of the thermal baths]

Porretta Terme spa town known for its thermal healing
    waters

Sai qual è un errore che si fa sempre? Quello di credere che la vita sia **immutabile**, che una volta preso un **binario** lo si debba percorrere fino in fondo. Il destino invece ha molta più fantasia di noi. Proprio quando credi di trovarti in una situazione **senza via di scampo**, quando raggiungi il **picco** di disperazione massima, con la velocità di una **raffica di vento** tutto cambia, **si stravolge**, e da un momento all'altro ti trovi a vivere una nuova vita.

Due mesi dopo il **bombardamento** della casa, la guerra era finita. Io avevo subito raggiunto Trieste, mio padre e mia madre si erano già trasferiti in un appartamento **provvisorio** con altre persone. C'erano talmente tante cose pratiche di cui occuparsi che dopo solo una settimana mi ero quasi **scordata** degli anni passati a L'Aquila. Un mese più tardi era arrivato anche Augusto. Doveva **riprendere in mano** l'azienda acquistata da mio padre, in tutti quegli anni di guerra l'aveva **lasciata in gestione** e non aveva lavorato quasi per niente. E poi c'erano mio padre e mia madre senza più casa e ormai vecchi davvero. Con una rapidità che mi sorprese, Augusto decise di lasciare la sua città per trasferirsi a Trieste, comprò questo **villino sull'altopiano** e prima dell'autunno ci venimmo a vivere tutti assieme.

Contrariamente a tutte le **previsioni**, mia madre fu la prima ad andarsene, morì poco dopo l'inizio dell'estate. La sua **tempra caparbia** era rimasta **minata** da quel periodo di solitudine e di paura. Con la sua scomparsa **si rifece vivo in me con prepotenza il desiderio** di un figlio. Dormivo di nuovo con Augusto e nonostante questo tra noi, di notte, succedeva poco o niente. Passavo molto tempo seduta in giardino in compagnia di mio padre. Fu proprio lui, durante un pomeriggio **assolato**, a dirmi: «Al **fegato** e alle donne, **le acque** possono fare miracoli».

Due settimane più tardi Augusto mi accompagnò al treno per Venezia. Lì, nella tarda mattinata, avrei preso un altro treno per Bologna, e dopo aver cambiato un'altra volta, verso sera sarei arrivata a **Porretta Terme**. A dire il vero credevo poco negli

185

sofferto suffered
prato field
incendio fire
carbonizzato charred
ricrescere grow again

effetti delle terme, se avevo deciso di partire era soprattutto per un grande desiderio di solitudine, sentivo il bisogno di stare in compagnia di me stessa in modo diverso da com'ero stata negli anni passati. Avevo **sofferto**. Dentro di me quasi ogni parte era morta, ero come un **prato** dopo un **incendio**, tutto era nero, **carbonizzato**. Soltanto con la pioggia, con il sole, con l'aria, quel poco che era rimasto sotto piano piano avrebbe potuto trovare l'energia per **ricrescere**.

sollievo a great relief

Isaac Bashevis Singer (1902–1991) Polish-born American author who won the Nobel Prize for literature in 1978

abitudini habits

lettura dei quotidiani reading the daily newspapers

peggiori worst

riversa it pours out

bastava per salvarsi was enough to save oneself

aprirle switch them on

ci entri dentro it gets to/inside you. Here the protagonist begins to reflect on the Balkan conflicts of the 1990s. The Balkans, of course, are just across the border from Trieste.

notiziario regionale the local newscast

dato il permesso gave permission to

convogli di profughi convoys of refugees

varcare la frontiera to cross the border [into Italy]

generi di conforto amenities, support

primordiale primordial

turbamento uneasiness

spina conficcata nel cuore thorn stuck in [my] heart

rende bene it gives a good idea of

si univa l'indignazione was combined with indignation

porre fine put an end

eccidio massacre

rassegnarmi resign myself

pozzi di petrolio oil wells

pietrose rocky

10 dicembre

Da quando sei andata via non leggo più il giornale, non ci sei tu che lo compri e nessun altro me lo porta. All'inizio provavo un po' di disagio per questa mancanza ma poi, piano piano, il disagio si è trasformato in **sollievo**. Mi sono ricordata allora del padre di **Isaac Singer**. Tra tutte le **abitudini** dell'uomo moderno, diceva, la **lettura dei quotidiani** è una delle **peggiori**. Al mattino, nell'attimo in cui l'anima è più aperta, **riversa** nella persona tutto il male che il mondo ha prodotto nel giorno precedente. Ai suoi tempi non leggere i giornali **bastava per salvarsi**, oggi non è più possibile; ci sono la radio, la televisione, basta **aprirle** per un secondo perché il male ci raggiunga, **ci entri dentro**.

Così è successo questa mattina. Mentre mi vestivo ho sentito al **notiziario regionale** che hanno **dato il permesso** ai **convogli di profughi** di **varcare la frontiera**. Stavano lì fermi da quattro giorni, non li facevano andare avanti e non potevano più tornare indietro. A bordo c'erano vecchi, malati, donne sole con i loro bambini. Il primo contingente, ha detto lo speaker, ha già raggiunto il campo della Croce Rossa e ricevuto i primi **generi di conforto**. La presenza di una guerra così vicina e così **primordiale** provoca in me un grande **turbamento**. Da quando è scoppiata vivo come con una **spina conficcata nel cuore**. È un'immagine banale, ma nella sua banalità, **rende bene** la sensazione. Dopo un anno, al dolore **si univa l'indignazione**, mi pareva impossibile che nessuno intervenisse per **porre fine** a questo **eccidio**. Poi ho dovuto **rassegnarmi**: non ci sono **pozzi di petrolio** lì ma soltanto montagne **pietrose**. L'indignazione

189

tarlo testardo stubborn woodworm

così colpita so struck

callo callus

eserciti armies

allo sbando *slang:* disbanded, in retreat

tradotte dei fanti della Grande guerra World War I troop
   trains full of infantry soldiers

sfilare dei reduci marching of the returning veterans

della campagna di Russia e di Grecia from the Russian and
   Greek campaigns

eccidi fascisti e nazisti the Fascist and Nazi massacres

le stragi delle foibe the Foibe Massacres, mass killings of
   Italians attributed to Yugoslav partisans during and shortly
   after World War II. *Foibe* are deep sinkholes, common
   in the local karstic topography, where the bodies of the
   victims were thrown.

sulla linea di confine along the border

esodo di innocenti in fuga exodus of fleeing innocents

mattanza slaughter. Here the author is borrowing the word
   used to denote the final stage of the seasonal tuna catch
   during which the fish are slain.

scompartimento train compartment

medium a medium/spiritualist

cappellino a focaccia flat (like a *focaccia*) hat

svelato revealed

l'altopiano carsico The high karstic plateau (near the border
   area where the protagonist is from)

assordata deafened

urlano screams

alterato changed, distorted

corrosa corroded

compatta heavy, thick

anziché per contrappasso scatenare sentimenti miti,
   favorisce il compiersi di altri eccessi *in effect:* instead of
   encouraging more tempered emotions as a counterweight,
   it only fuels more savagery

190

col tempo è diventata rabbia e questa rabbia continua a pulsare dentro di me come un **tarlo testardo**.

È ridicolo che alla mia età io resti ancora **così colpita** da una guerra. In fondo sulla terra se ne combattono decine e decine nello stesso giorno, in ottant'anni avrei dovuto formare qualcosa di simile a un **callo**, un'abitudine. Da quando sono nata l'erba alta e gialla del Carso è stata attraversata da profughi ed **eserciti** vittoriosi o **allo sbando**: prima le **tradotte dei fanti della Grande guerra** con lo scoppio delle bombe sull'altipiano; poi lo **sfilare dei reduci della campagna di Russia e di Grecia,** gli **eccidi fascisti e nazisti, le stragi delle foibe**; e adesso, ancora una volta il rumore dei cannoni **sulla linea di confine**, questo **esodo di innocenti in fuga** dalla grande **mattanza** dei Balcani.

Qualche anno fa andando in treno da Trieste a Venezia ho viaggiato nello stesso **scompartimento** di una **medium**. Era una signora un po' più giovane di me con in testa un **cappellino a focaccia**. Non sapevo naturalmente che fosse una medium, l'ha **svelato** lei parlando con la sua vicina.

«Sa», le diceva mentre attraversavamo **l'altopiano carsico**, «se io cammino qua sopra sento tutte le voci dei morti, non posso fare due passi senza restare **assordata**. Tutti **urlano** in modo terribile, più sono morti giovani, più urlano forte.» Poi le spiegò che dove c'era stato un atto di violenza, nell'atmosfera restava qualcosa di **alterato** per sempre: l'aria diventa **corrosa**, non è più **compatta**, e quella corrosione **anziché per contrappasso scatenare sentimenti miti, favorisce il compiersi di altri eccessi.**

Dove si è versato il sangue   Where blood has been shed

assaggia   it tastes

covi in sé   has smoldering inside it
maledizione   curse

rocca   fortress
bora   strong wind that blows in from the Adriatic at Trieste

facevamo a gara   we raced [each other]

paesaggio   landscape

magia   magic
belvedere   overlook
Non manca niente   Nothing is missing
i piloni di calcare   pylons of limestone
erosi dal tempo   eroded by time
brullo   barren
in cui si esercitano i carri armati   used for tank exercises
tuffato   dropping straight down (*literally:* diving down) into
nota stridente   discordant note, something that clashes
mi impedisce   prevents me
l'influsso   the influence

aspra e brusca   harsh and stern
sferza   gives it a lashing

Dove si è versato del sangue, insomma, se ne verserà dell'altro e su quell'altro dell'altro ancora. «La terra», aveva detto la medium finendo il discorso, «è come un vampiro, appena **assaggia** del sangue ne vuole di nuovo, di fresco, sempre di più.»

Per tanti anni mi sono chiesta se questo luogo dove ci siamo trovate a vivere non **covi in sé** una **maledizione**, me lo sono chiesta e me lo continuo a chiedere senza riuscire a darmi una risposta. Ti ricordi quante volte siamo andate assieme alla **rocca** di Monrupino? Nelle giornate di **bora** trascorrevamo ore intere a osservare il paesaggio, era un po' come stare su un aereo e guardare sotto. La vista era a trecentosessanta gradi, **facevamo a gara** su chi per prima identificava una cima delle Dolomiti, su chi distingueva Grado da Venezia. Adesso che non mi è più possibile andarci materialmente, per vedere lo stesso **paesaggio** devo chiudere gli occhi.

Grazie alla **magia** della memoria compare tutto davanti e intorno a me come se fossi sul **belvedere** della rocca. **Non manca niente**, neppure il rumore del vento, gli odori della stagione che ho scelto. Sto lì, guardo **i piloni di calcare erosi dal tempo**, il grande spazio **brullo in cui si esercitano i carri armati**, il promontorio scuro dell'Istria **tuffato** nell'azzurro del mare, guardo tutte le cose intorno e mi chiedo per l'ennesima volta, se c'è una **nota stridente**, dov'è?

Amo questo paesaggio e quest'amore forse **mi impedisce** di risolvere la questione, l'unica cosa di cui sono certa è **l'influsso** dell'aspetto esterno sul carattere di chi vive in questi luoghi. Se sono spesso così **aspra e brusca**, se lo sei anche tu, lo dobbiamo al Carso, alla sua erosione, ai suoi colori, al vento che lo **sferza**. Se fossimo nate, chessò, tra le colline dell'Umbria, forse saremmo state più miti, l'esasperazione non avrebbe fatto parte del nostro temperamento. Sarebbe stato meglio? Non lo so, non si può immaginare una condizione che non si è vissuta.

Comunque una piccola maledizione oggi c'è stata, questa mattina, quando sono venuta in cucina, ho trovato la merla

esanime lifeless

stracci rags

imboccata mouthful

s'assopiva it dozed off

ciondolava hung down

molla spring mechanism

avvolgerla wrap it up

straccetto small cloth

fitto nevischio thick sleet

vanga shovel

scavare dig

soffice soft

fossa hole

sepoltura burial

accogli take in

accolto taken in

soccorsi rescued

fringuelli, cince, passeri, merli *species of birds:* finches, tits,
    sparrows, blackbirds

crociere crossbill

risanarli help them get well

non sortivano didn't produce

esito felice a happy ending

segno premonitore warning sign

A sepoltura avvenuta Once the burial was over

asciugavi il naso you dried your nose

spiegazione explanation

rasserenata cheered up

pesce rosso goldfish

esanime tra i suoi **stracci**. Già negli ultimi due giorni aveva mostrato segni di malessere, mangiava meno e tra un'**imboccata** e l'altra **s'assopiva** spesso. Il decesso deve essere avvenuto poco prima dell'alba perché quando l'ho presa in mano la testa le **ciondolava** da una parte e dall'altra come se all'interno la **molla** si fosse rotta. Era leggera, fragile, fredda. L'ho accarezzata per un po' prima di **avvolgerla** in uno **straccetto**, volevo darle un po' di calore. Fuori cadeva un **fitto nevischio,** ho chiuso Buck in una stanza e sono uscita. Non ho più le energie per prendere la **vanga** e **scavare**, così ho scelto l'aiuola dalla terra più **soffice**. Con il piede ho fatto una piccola **fossa**, ho messo dentro la merla, l'ho ricoperta e prima di rientrare in casa ho detto la preghiera che ripetevamo sempre alla **sepoltura** dei nostri uccellini. «Signore **accogli** questa piccolissima vita, come hai **accolto** tutte le altre.»

Ti ricordi quand'eri bambina, quanti ne abbiamo **soccorsi** e tentato di salvare? Dopo ogni giornata di vento ne trovavamo uno ferito, erano **fringuelli, cince, passeri, merli**, una volta persino un **crociere**. Facevamo di tutto per **risanarli** ma le nostre cure **non sortivano** quasi mai **esito felice**, da un giorno all'altro, senza nessun **segno premonitore**, li trovavamo morti. Che tragedia allora quel giorno, anche se era già accaduto tante volte restavi comunque turbata. **A sepoltura avvenuta** ti **asciugavi il naso** e gli occhi con il palmo aperto, poi ti chiudevi nella tua stanza "a fare spazio".

Un giorno mi avevi chiesto come avremmo fatto a trovare la mamma, il cielo era così grande che era facilissimo perdersi. Ti avevo detto che il cielo era una specie di grande albergo, ognuno lassù aveva una stanza e in quella stanza tutte le persone che si erano volute bene, dopo la morte si trovavano di nuovo e stavano assieme per sempre. Per un po' questa mia **spiegazione** ti aveva **rasserenata**. Soltanto alla morte del tuo quarto o quinto **pesce rosso** eri tornata sull'argomento e mi avevi chiesto: «E se non c'è più spazio?». «Se non c'è spazio», ti avevo risposto,

allargati grow larger

mandate in esilio banished; (*literally:* sent into exile)

criceti, passeri hamsters, swallows
spalti stands
mi vorrai will you want me
prendere in affitto rent one

scendendo dal treno getting off the train
castagni chestnuts

prenotato reserved
ingenua naïve
l'incessante lavorio del destino the ceaseless workings of
    fate
accadessero (*subjunctive*) happened
pensilina bus stop shelter
si era azzerata *in effect:* melted away (*literally:* reset to zero)
starmene in pace to be completely at peace

infervorato heated
mi ha dato subito fastidio bothered me from the start
l'ho fissato I stared at him
seccata annoyed

spogliarmi getting undressed
sudare break into a sweat

«bisogna chiudere gli occhi e dire per un minuto intero "stanza **allargati**". Allora, subito la stanza diventa più grande.»

Conservi ancora nella memoria queste immagini infantili oppure la tua corazza le ha **mandate in esilio**? Io me ne sono ricordata solo oggi mentre seppellivo la merla. Stanza allargati, che bella magia! Certo che tra la mamma, i **criceti**, i **passeri**, i pesci rossi, la tua stanza deve essere già affollata come gli **spalti** di uno stadio. Presto ci andrò anch'io, **mi vorrai** nella tua stanza o ne dovrò **prendere in affitto** una accanto? Potrò invitare la prima persona che ho amato, potrò finalmente farti conoscere il tuo vero nonno? Che cosa ho pensato, che cosa ho immaginato in quella sera di settembre, **scendendo dal treno** alla stazione di Porretta? Assolutamente niente. Si sentiva l'odore dei **castagni** nell'aria e la mia prima preoccupazione era stata quella di trovare la pensione nella quale avevo **prenotato** una stanza. Allora ero ancora molto **ingenua**, ignoravo **l'incessante lavorio del destino**, se avevo una convinzione era soltanto quella che le cose **accadessero** unicamente grazie all'uso buono o meno buono della mia volontà. Nell'istante in cui avevo posato i piedi e la valigia sotto la **pensilina**, la mia volontà **si era azzerata**, non volevo niente, o meglio volevo una sola cosa, **starmene in pace**.

Tuo nonno l'ho incontrato già la prima sera, mangiava nella sala da pranzo della mia pensione assieme a un'altra persona. A parte un vecchio signore, non c'erano altri ospiti. Stava discutendo in modo piuttosto **infervorato** di politica, il tono della sua voce **mi ha dato subito fastidio**. Durante la cena **l'ho fissato** un paio di volte con un'espressione piuttosto **seccata**. Che sorpresa il giorno dopo quando ho scoperto che era proprio lui il medico delle terme! Per una decina di minuti mi ha fatto domande sul mio stato di salute, al momento di **spogliarmi** mi è successa una cosa molto imbarazzante, ho cominciato a **sudare** come se stessi facendo un grande sforzo.

indisponente irritating

premere il manometro della pressione press on the blood pressure reader ([sphygmo]manometer)

colonnina di mercurio mercury line

schizzata shot up

valori massimi top of the gauge

ipertensione hypertension

furibonda furious

spaventarsi be afraid of

mi agiti I should get worked up

Si riposi Relax

prenda fiato catch your breath

potranno niente will do any good

chiacchierando chatting

paese town

irruenta boisterous

incuriosirmi pique my interest

trasporto enthusiasm

stargli vicino to be around him

contagiati infected

dal calore che emanava by the warmth he emanated

teorie theories

a inviarsi sending out

ormoni hormones

cervello brain

meandro corner

scatenano they set off

puzze odors

sciocchezza idiocy, nonsense

tiro mancino dirty trick

cacciare il cuore in esilio drive the heart into exile

Ascoltandomi il cuore ha esclamato: «Ollalà, che spavento!» ed è scoppiato a ridere in maniera piuttosto **indisponente**. Appena ha cominciato a **premere il manometro della pressione,** la **colonnina di mercurio** è subito **schizzata** ai **valori massimi**. «Soffre di **ipertensione**?» mi ha chiesto allora. Ero **furibonda** con me stessa, cercavo di ripetermi: cosa c'è da **spaventarsi** tanto, è solo un medico che fa il suo lavoro, non è normale né serio che io **mi agiti** in questo modo. Però, per quanto lo ripetessi, non riuscivo a calmarmi. Sulla porta, dandomi il foglio con le cure, mi ha stretto la mano. «**Si riposi, prenda fiato**», ha detto, «altrimenti neanche le acque **potranno niente.**»

La sera stessa, dopo cena, è venuto a sedersi al mio tavolo. Il giorno seguente già passeggiavamo assieme **chiacchierando** per le strade del **paese**. Quella vivacità **irruenta** che all'inizio tanto mi aveva irritato, adesso cominciava a **incuriosirmi**. In tutto quello che diceva c'era passione, **trasporto**, era impossibile **stargli vicino** e non sentirsi **contagiati dal calore che emanava** ogni sua frase, dal calore del suo corpo.

Tempo fa ho letto su un giornale che, secondo le ultime **teorie**, l'amore non nasce dal cuore ma dal naso. Quando due persone si incontrano e si piacciono cominciano **a inviarsi** dei piccoli **ormoni** di cui non ricordo il nome, questi ormoni entrano dal naso e salgono fino al **cervello** e lì, in qualche **meandro** segreto, **scatenano** la tempesta dell'amore. I sentimenti insomma, concludeva l'articolo, non sono nient'altro che delle invisibili **puzze**. Che assurda **sciocchezza**! Chi nella vita ha provato l'amore vero, quello grande e senza parole, sa che queste affermazioni non sono altro che l'ennesimo **tiro mancino** per **cacciare il cuore in esilio**. Certo, l'odore della persona amata provoca grandi turbamenti. Ma per provocarli, prima ci deve essere stato qualcos'altro, qualcosa che, sono sicura è molto diverso da una semplice puzza.

Stando vicina a Ernesto in quei giorni per la prima volta nella mia vita ho avuto la sensazione che il mio corpo non avesse

confini boundaries
alone impalpabile impalpable aura
contorni outlines
più ampi wider
ampiezza spaciousness, range
innaffi water [plants]
molli limp
cascano in basso they droop down
coniglio depresso depressed rabbit
rugiada dew

si riprenda it recovers
tiri su it picks up

più liscia smoother
più luminosi brighter

inquietudine uneasiness
a cuor leggero lightheartedly
sospetto misgiving
spregiudicata reckless
riguardava had to do with
vagato a lungo roamed far and wide
tana calda cozy den
gode del tepore takes in the warmth
stima esteem, regard
fascino femminile feminine mystique
non mi sfiorava it didn't occur to me

si è accostato pulled up [beside me]
sporgendosi dal finestrino leaning out the window
portiera car door

confini. Intorno sentivo una sorta di **alone impalpabile**, era come se i **contorni** fossero **più ampi** e quest'**ampiezza** vibrasse nell'aria a ogni movimento. Sai come si comportano le piante quando non le **innaffi** per qualche giorno? Le foglie diventano **molli**, invece di levarsi verso la luce **cascano in basso** come le orecchie di un **coniglio depresso**. Ecco, la mia vita negli anni precedenti era stata proprio simile a quella di una pianta senz'acqua, la **rugiada** della notte mi aveva dato il nutrimento minimo per sopravvivere ma a parte quello non ricevevo altro, avevo la forza per stare in piedi e basta. È sufficiente bagnare la pianta una sola volta perché questa **si riprenda**, perché **tiri su** le foglie. Così era successo a me la prima settimana. Sei giorni dopo il mio arrivo, guardandomi la mattina allo specchio mi sono accorta di essere un'altra. La pelle era **più liscia**, gli occhi **più luminosi**, mentre mi vestivo ho cominciato a cantare, non l'avevo più fatto da quando ero bambina.

Sentendo la storia dall'esterno forse ti verrà naturale pensare che sotto quell'euforia ci fossero delle domande, un'**inquietudine**, un tormento. In fondo ero una donna sposata, come potevo accettare **a cuor leggero** la compagnia di un altro uomo? Invece non c'era nessuna domanda, nessun **sospetto** e non perché fossi particolarmente **spregiudicata**. Piuttosto perché quello che vivevo **riguardava** il corpo, soltanto il corpo. Ero come un cucciolo che dopo aver **vagato a lungo** per le strade d'inverno trova una **tana calda**, non si domanda niente, sta lì e **gode del tepore**. Inoltre la **stima** che avevo del mio **fascino femminile** era molto bassa, di conseguenza **non mi sfiorava** neanche l'idea che un uomo potesse provare per me quel tipo di interesse.

La prima domenica, andando a messa a piedi, Ernesto **si è accostato**, alla guida di un'auto. «Dove va?» mi ha chiesto **sporgendosi dal finestrino** e non appena gliel'ho detto lui ha aperto la **portiera** dicendo: «Mi creda, Dio è molto più contento se invece di andare in chiesa viene a fare una bella

un sentiero che si inoltrava tra i castagni a path that
   wound its way through chestnut trees
sconnessa bumpy, uneven
inciampavo I stumbled

umida damp
si smorzava *here:* softened
radura clearing

quercia oak
guancia cheek

riflettere think things over, reflect

per di più moreover
vecchiaia old age
previsto foreseen
irrompesse was bursting in
mi metteva addosso filled me with
comportarmi to behave
Il nuovo Something new, A novelty

perlomeno at least
mi prendesse in giro was taking me for a ride
divertirsi e basta simply to enjoy himself and nothing more

passeggiata nei boschi». Dopo lunghi giri e molte curve siamo arrivati all'inizio di **un sentiero che si inoltrava tra i castagni**. Io non avevo le scarpe giuste per camminare su una strada **sconnessa**, **inciampavo** in continuazione. Quando Ernesto mi ha preso la mano, mi è sembrata la cosa più naturale del mondo. Abbiamo camminato a lungo in silenzio. Nell'aria c'era già l'odore dell'autunno, la terra era **umida**, sugli alberi molte foglie erano gialle, la luce, passando attraverso, **si smorzava** in tonalità diverse. A un certo punto, in mezzo alla **radura**, abbiamo incontrato un castagno enorme. Ricordandomi della mia **quercia** gli sono andata incontro, prima l'ho accarezzato con una mano, poi vi ho posato una **guancia** sopra. Subito dopo Ernesto ha posato la testa accanto alla mia. Da quando ci eravamo conosciuti non eravamo mai stati così vicini con gli occhi.

Il giorno seguente non l'ho voluto vedere. L'amicizia si stava trasformando in qualcos'altro e avevo bisogno di **riflettere**. Non ero più una ragazzina ma una donna sposata con tutte le sue responsabilità, anche lui era sposato e **per di più** aveva un figlio. Da lì alla **vecchiaia** avevo ormai **previsto** tutta la mia vita, il fatto che **irrompesse** qualcosa che non avevo calcolato **mi metteva addosso** una grande ansia. Non sapevo come **comportarmi**. **Il nuovo** al primo impatto spaventa, per riuscire ad andare avanti bisogna superare questa sensazione di allarme. Così un momento pensavo: "È una grande sciocchezza, la più grande della mia vita, devo dimenticare tutto, cancellare quel poco che c'è stato". Il momento dopo mi dicevo che la sciocchezza più grande sarebbe stata proprio quella di lasciar perdere perché per la prima volta da quando ero bambina mi sentivo di nuovo viva, tutto vibrava intorno a me, dentro a me, mi sembrava impossibile dover rinunciare a questo nuovo stato. Oltre a ciò naturalmente avevo un sospetto, quel sospetto che hanno o **perlomeno** avevano tutte le donne: cioè che lui **mi prendesse in giro**, che volesse **divertirsi e basta**. Tutti questi

eccitata excited

voglia di vivere appetite for life

decimo giorno di permanenza tenth day of [my] stay

mandai (*passato remoto*) I sent

socchiuse partially closed

filtrano filter in

spalancare throw them open

raffica di vento gust of wind

parlavamo fino ad avere la gola secca we talked until we
  were hoarse

Resistenza the Resistance movement, the clandestine
  organization that battled the Fascist government during
  World War II

aveva visto la morte in faccia he had looked death in the
  face

dilatarsi della coscienza [his] consciousness expanded

riti rites

luogo di culto place of worship

dogmi dogmas

Ci rubavamo le parole di bocca We finished each other's
  sentences (*literally:* we stole words from each other's
  mouths)

conoscessimo (*subjunctive*) we had known each other

ci assopivamo we dozed off

pensieri si agitavano nella mia testa mentre stavo da sola in quella triste stanza di pensione.

Quella notte non riuscii a prendere sonno fino alle quattro, ero troppo **eccitata**. La mattina dopo però non mi sentivo per niente stanca, vestendomi cominciai a cantare; in quelle poche ore era nata in me una tremenda **voglia di vivere**. Al **decimo giorno di permanenza mandai** una cartolina ad Augusto: *Aria ottima, cibo mediocre. Speriamo*, avevo scritto e l'avevo salutato con un abbraccio affettuoso. La notte prima l'avevo trascorsa con Ernesto.

In quella notte all'improvviso mi ero accorta di una cosa, e cioè che tra la nostra anima e il nostro corpo ci sono tante piccole finestre, da lì, se sono aperte, passano le emozioni, se sono **socchiuse filtrano** appena, solo l'amore le può **spalancare** tutte assieme e di colpo, come una **raffica di vento**.

Nell'ultima settimana del mio soggiorno a Porretta siamo stati sempre assieme, facevamo lunghe passeggiate, **parlavamo fino ad avere la gola secca**. Com'erano diversi i discorsi di Ernesto da quelli di Augusto! Tutto in lui era passione, entusiasmo, sapeva entrare negli argomenti più difficili con una semplicità assoluta. Parlavamo spesso di Dio, della possibilità che, oltre la realtà tangibile, esistesse qualcos'altro. Lui aveva fatto la **Resistenza**, più di una volta **aveva visto la morte in faccia**. In quegli istanti gli era nato il pensiero di qualcosa di superiore, non per la paura ma per il **dilatarsi della coscienza** in uno spazio più ampio. «Non posso seguire i **riti**», mi diceva, «non andrò mai in un **luogo di culto**, non potrò mai credere ai **dogmi**, alle storie inventate da altri uomini come me.» **Ci rubavamo le parole di bocca**, pensavamo le stesse cose, le dicevamo allo stesso modo, sembrava che ci **conoscessimo** da anni anziché da due settimane.

Ci restava poco tempo ancora, le ultime notti non abbiamo dormito più di un'ora, **ci assopivamo** il tempo minimo per riprendere le forze. Ernesto era molto appassionato all'argomento

predestinazione predestination

costretti forced
nostalgia perpetua perpetual yearning

aggiustamenti, simpatie epidermiche, transitorie, affinità fisiche o di carattere settling for [someone], superficial attraction, physical or personality compatibilities

bisbigliato whispered
Nascosto Hidden
recapito address

convulsi in turmoil
"l'un contro l'altro armati" "One against the other, armed" is the first line of a famous, much quoted poem by Alessandro Manzoni; *in effect:* combative feelings
effettuare una metamorfosi undergo a metamorphosis
avanti e indietro back and forth
spegnersi turn off
bontà *here:* quality, healthiness

galanterie gallantries

buffi silly, funny
innamorata in love

ti degna di attenzione deigns to pay you any attention

della **predestinazione**. «Nella vita di ogni uomo», diceva, «esiste solo una donna assieme alla quale raggiungere l'unione perfetta e, nella vita di ogni donna, esiste un solo uomo assieme al quale essere completa.» Trovarsi però era un destino di pochi, di pochissimi. Tutti gli altri erano **costretti** a vivere in uno stato di insoddisfazione, di **nostalgia perpetua**. «Quanti incontri ci saranno così», diceva nel buio della stanza, «uno su diecimila, uno su un milione, su dieci milioni?» Uno su dieci milioni, sì. Tutti gli altri sono **aggiustamenti, simpatie epidermiche, transitorie, affinità fisiche o di carattere,** convenzioni sociali. Dopo queste considerazioni non faceva altro che ripetere: «Come siamo stati fortunati, eh? Chissà cosa c'è dietro, chi lo sa?».

Il giorno della partenza, aspettando il treno nella minuscola stazione, mi ha abbracciato e mi ha **bisbigliato** in un orecchio: «In quale vita ci siamo già conosciuti?». «In tante», gli ho risposto io, e ho cominciato a piangere. **Nascosto** nella borsetta avevo il suo **recapito** di Ferrara.

Inutile che ti descriva i miei sentimenti in quelle lunghe ore di viaggio, erano troppo **convulsi**, troppo **"l'un contro l'altro armati."** Sapevo, in quelle ore, di dover **effettuare una metamorfosi**, andavo **avanti e indietro** dalla toilette per controllare l'espressione del mio volto. La luce negli occhi, il sorriso, dovevano andare via, **spegnersi**. A conferma della **bontà** dell'aria doveva restare soltanto il colorito delle guance. Sia mio padre che Augusto mi trovarono straordinariamente migliorata. «Sapevo che le acque fanno miracoli», ripeteva mio padre in continuazione mentre Augusto, cosa per lui quasi incredibile, mi circondava di piccole **galanterie**.

Quando anche tu proverai l'amore per la prima volta capirai quanto vari e **buffi** possano essere i suoi effetti. Fino a che non sei **innamorata**, fino a che il tuo cuore è libero e il tuo sguardo di nessuno, di tutti gli uomini che ti potrebbero interessare, neppure uno **ti degna di attenzione**; poi, nel momento in cui

non ti importa assolutamente niente degli altri you
   couldn't care less about the others
ti inseguono they chase after you

specchi mirrors
alone dorato golden halo
attira attracts
miele honey
orsi bears
non era sfuggito it hadn't escaped him
più malizioso wilier

orripilanti hideous

termine esatto precise term
esistevo per lui I existed for him

ci eravamo accordati we had agreed
fidata trustworthy
vigilia dei morti = *Ognissanti*: All Saints' Day (November 1),
   the day before All Souls' Day, the *giorno dei morti*

esenti dal dubbio exempt from doubt

di colpo all of a sudden

seduttore seducer

certezza certainty

donnette little women (used here pejoratively)
inutile useless

sei presa da un'unica persona e **non ti importa assolutamente niente degli altri**, tutti **ti inseguono**, dicono parole dolci, ti fanno la corte. È l'effetto delle finestre di cui parlavo prima, quando sono aperte il corpo dà una gran luce all'anima e così l'anima al corpo, con un sistema di **specchi** si illuminano l'un l'altro. In breve tempo si forma intorno a te una specie di **alone dorato** e caldo e quest'alone **attira** gli altri uomini come il **miele** attira gli **orsi**. Augusto **non era sfuggito** a quell'effetto e anch'io, anche se ti parrà strano, non trovavo difficoltà a essere gentile con lui. Certo, se Augusto fosse stato soltanto un po' più dentro alle cose del mondo, un po' **più malizioso**, non ci avrebbe messo molto per capire cos'era successo. Per la prima volta da quando eravamo sposati mi sono trovata a ringraziare i suoi **orripilanti** insetti.

Pensavo a Ernesto? Certo, non facevo praticamente altro. Pensare però non è il **termine esatto**. Più che pensare, **esistevo per lui**, lui esisteva in me, in ogni gesto, in ogni pensiero eravamo una sola persona. Lasciandoci, **ci eravamo accordati** che la prima a scrivere sarei stata io; perché lui potesse farlo, dovevo prima trovare un indirizzo di un'amica **fidata** alla quale farmi mandare le lettere. La prima lettera gliela inviai alla **vigilia dei morti**. Il periodo che seguì fu il più terribile di tutta la nostra relazione. Neanche gli amori più grandi, i più assoluti, nella lontananza sono **esenti dal dubbio**. La mattina aprivo gli occhi **di colpo** quando fuori era ancora buio e restavo immobile e in silenzio vicino ad Augusto. Erano gli unici momenti in cui non dovevo nascondere i miei sentimenti. Ripensavo a quelle tre settimane. E se Ernesto, mi chiedevo, fosse stato soltanto un **seduttore**, uno che per noia alle terme si divertiva con le signore sole? Più passavano i giorni e non arrivava la lettera più questo sospetto si trasformava in **certezza**. Va bene, mi dicevo allora, anche se è andata così, anche se mi sono comportata come la più ingenua delle **donnette**, non è stata un'esperienza negativa né **inutile**. Se non mi fossi lasciata andare sarei invecchiata e

mettere le mani avanti brace myself

attutire il colpo soften the blow

notarono (*passato remoto*) noticed

peggioramento d'umore worsening mood

scattavo per un nonnulla I went off over the least little thing

Ripassavo I went over

con frenesia frenetically

indizio clue

in un senso o nell'altro in one direction or the other

Quanto durò questo supplizio? (*passato remoto*) How long did this torment last?

faceva da tramite acted as intermediary

ariosa airy, expansive

di buon umore in a good mood

alterava changed, altered

imprecisato uncertain

profondità depth, profoundness

mi aveva resa ormai sicura had by then made me feel more certain/sure of

ci legava united us

buona misura good measure

dall'accadere degli eventi strettamente umani from the day to day happenings of mere mortals

non soffrivamo affatto we didn't suffer in the least

scivolava in secondo piano receded into the background

a togliermi dalla mente get out of my mind

morta senza mai sapere cosa può provare una donna. In qualche modo, capisci, cercavo di **mettere le mani avanti**, di **attutire il colpo.**

Sia mio padre che Augusto **notarono** il mio **peggioramento d'umore: scattavo per un nonnulla**, appena uno di loro entrava in una stanza io uscivo per andare in un'altra, avevo bisogno di stare sola. **Ripassavo** in continuazione le settimane trascorse assieme, le esaminavo **con frenesia** minuto per minuto per trovare un **indizio**, una prova che mi spingesse definitivamente **in un senso o nell'altro. Quanto durò questo supplizio?** Un mese e mezzo, quasi due. La settimana prima di Natale, a casa dell'amica che **faceva da tramite** finalmente arrivò la lettera, cinque pagine scritte con una calligrafia grande e **ariosa.**

Tornai improvvisamente **di buon umore.** Tra scrivere e attendere le risposte l'inverno volò via e così la primavera. Il pensiero fisso di Ernesto **alterava** la mia percezione del tempo, tutte le mie energie erano concentrate su un futuro **imprecisato**, sul momento in cui avrei potuto rivederlo.

La **profondità** della sua lettera **mi aveva resa ormai sicura** del sentimento che **ci legava.** Il nostro era un amore grande, grandissimo e, come tutti gli amori davvero grandi, era anche in **buona misura** lontano **dall'accadere degli eventi strettamente umani.** Forse ti sembrerà strano che la lunga lontananza non provocasse in noi una grande sofferenza e forse dire che **non soffrivamo affatto** non è esattamente vero. Sia io che Ernesto soffrivamo per la forzata distanza, ma era una sofferenza mista ad altri sentimenti, dietro l'emozione dell'attesa il dolore **scivolava in secondo piano.** Eravamo due persone adulte e sposate, sapevamo che le cose non potevano andare in modo diverso. Probabilmente se tutto ciò fosse avvenuto ai nostri giorni, dopo neanche un mese io avrei chiesto la separazione da Augusto e lui l'avrebbe chiesta da sua moglie e già prima di Natale avremmo abitato nella stessa casa. Sarebbe stato meglio? Non lo so. In fondo non riesco **a togliermi dalla mente** l'idea

facilità dei rapporti banalizzi l'amore easiness of [sexual]
   relations renders love more banal
passeggera infatuazione passing infatuation
lievito yeast
farina flour
la pasta the dough
cola dallo stampo it oozes out of the mold
l'unicità the uniqueness
Traborda It overflows

inventare make up
convegno convention
concorso specialization exam
impegno activity, occupation
mi consentisse assenze allowed me to be away/absent
senza destare nessun sospetto without arousing any
   suspicion
Pasqua Easter
mi iscrissi I signed up for
latinisti dilettanti amateur Latin scholars
Si riunivano They held meetings
gite tours, trips
in un baleno in a flash

l'eccitazione the excitement

eppure and yet

vissi (*passato remoto*) I lived

che la **facilità dei rapporti banalizzi l'amore**, che trasformi l'intensità del trasporto in **passeggera infatuazione**. Lo sai come succede quando, nelle torte, mescoli male il **lievito** nella **farina**? Il dolce invece di alzarsi in modo uniforme si alza solo da una parte, più che alzarsi esplode, **la pasta** si rompe e **cola dallo stampo** come lava. Così è **l'unicità** della passione. **Traborda.**

Avere un amante a quei tempi, e riuscire a vederlo, non era una cosa molto semplice. Per Ernesto certo era già più facile, essendo medico poteva sempre **inventare** un **convegno**, un **concorso**, qualche caso urgente, ma per me che oltre a quella della casalinga non avevo nessun'altra attività era quasi impossibile. Dovevo inventarmi un **impegno**, qualcosa che **mi consentisse assenze** di poche ore o anche di giorni **senza destare nessun sospetto**. Così prima di **Pasqua mi iscrissi** a una società di **latinisti dilettanti. Si riunivano** una volta alla settimana e facevano frequenti **gite** culturali. Conoscendo la mia passione per le lingue antiche Augusto non sospettò nulla né trovò niente da ridire, anzi era contento che riprendessi gli interessi di una volta.

L'estate quell'anno arrivò **in un baleno**. A fine giugno, come ogni anno, Ernesto partì per la stagione alle terme e io per il mare assieme a mio padre e a mio marito. In quel mese riuscii a convincere Augusto che non avevo smesso di desiderare un figlio. Il trentun agosto di buon'ora, con la stessa valigia e lo stesso vestito dell'anno precedente, mi accompagnò a prendere il treno per Porretta. Durante il viaggio per **l'eccitazione** non riuscii a stare ferma un istante, dal finestrino vedevo lo stesso paesaggio che avevo visto l'anno prima **eppure** tutto mi sembrava diverso.

Mi fermai alle terme tre settimane, in quelle tre settimane **vissi** di più e più profondamente che in tutto il resto della mia vita. Un giorno, mentre Ernesto era al lavoro, passeggiando per il parco pensai che la cosa più bella in quell'istante sarebbe stata

desiderio contraddittorio contradictory desire

avere marciato having strode
sterrate unpaved
boscaglia underbrush
cunicolo tunnel
l'accetta [my] hatchet
baratro abyss
forra ravine

era sorto il sole the sun had risen
sfumature tonalities
digradavano sloped down
brezza leggera light breeze
vetta peak
saliva rose up
scampanio the tolling [of bells]
sovrapponeva superimposed itself, was covered up

tuffarmi to dive
azzurrino light blue

avvicinai (*passato remoto*) I drew closer

concepimento conception
il seno my breasts
più gonfio, più sodo swollen, firmer

morire. Pare strano ma la felicità massima, come la massima infelicità porta con sé sempre questo **desiderio contraddittorio**. Avevo la sensazione di essere in cammino da tanto tempo, di **avere marciato** per anni e anni per strade **sterrate**, per la **boscaglia**; per andare avanti mi ero aperta un **cunicolo** con l'accetta, avanzavo e di quello che mi stava intorno – oltre a ciò che stava davanti ai miei piedi – non avevo visto niente; non sapevo dove stavo andando, poteva esserci un **baratro** davanti a me, una **forra**, una grande città o il deserto; poi a un tratto la boscaglia si era aperta, senza accorgermene ero salita in alto. All'improvviso mi trovavo sulla cima di un monte, da poco **era sorto il sole** e davanti a me con **sfumature** diverse altri monti **digradavano** verso l'orizzonte; tutto era blu azzurrino, una **brezza leggera** sfiorava la **vetta**, la vetta e la mia testa, la mia testa e i pensieri dentro. Ogni tanto da sotto **saliva** un rumore, l'abbaiare di un cane, lo **scampanio** di una chiesa. Ogni cosa era a un tempo stranamente leggera e intensa. Dentro e fuori di me tutto era diventato chiaro, niente più si **sovrapponeva**, niente si faceva ombra, non avevo più voglia di scendere, di andare giù nella boscaglia; volevo **tuffarmi** in quell'**azzurrino** e restarci per sempre, lasciare la vita nel momento più alto. Conservai quel pensiero fino alla sera, al momento di rivedere Ernesto. Durante la cena però non ebbi il coraggio di dirglielo, avevo paura che si sarebbe messo a ridere. Soltanto la sera tardi, quando mi raggiunse nella mia stanza, quando venne e mi abbracciò, **avvicinai** la bocca al suo orecchio per parlargli. Volevo dirgli: «Voglio morire». Invece sai cosa dissi? «Voglio un figlio.»

Quando lasciai Porretta sapevo di essere incinta. Credo che anche Ernesto lo sapesse, negli ultimi giorni era molto turbato, confuso, stava spesso zitto. Io non lo ero affatto. Il mio corpo aveva cominciato a modificarsi fin dal mattino seguente al **concepimento**, **il seno** era improvvisamente **più gonfio, più sodo**, la pelle del viso più luminosa. È davvero incredibile il

215

impiega takes
adeguarsi adapt itself
fatto le analisi had tests done
pancia tummy
invasa permeated
solarità radiance, luminosity
possente powerful

mi assalirono assailed me

gravidanza pregnancy
mi imponeva forced me
mantenerle keep them
abortire having an abortion
non sarebbe sfuggito would not have gone unnoticed

sbaglio error
compiersi the carrying out/fulfillment

criteri di razionalità rational criteria

i pro e i contro the pros and cons

adottato *here:* applied

poco tempo che il fisico **impiega** ad **adeguarsi** al nuovo stato. Per questo posso dirti che, anche se non avevo **fatto le analisi**, anche se la **pancia** era ancora piatta, sapevo benissimo cosa era successo. All'improvviso mi sentivo **invasa** da una grande **solarità**, il mio corpo si modificava, cominciava a espandersi, a divenire **possente**. Prima di allora non avevo mai provato niente di simile.

I pensieri gravi **mi assalirono** soltanto quando rimasi sola in treno. Finché ero stata vicina a Ernesto non avevo avuto nessun dubbio sul fatto che avrei tenuto il bambino: Augusto, la mia vita di Trieste, le chiacchiere della gente, tutto era lontanissimo. A quel punto però tutto quel mondo si stava avvicinando, la rapidità con cui la **gravidanza** sarebbe andata avanti **mi imponeva** di prendere delle decisioni al più presto e – una volta prese – di **mantenerle** per sempre. Capii subito, paradossalmente, che **abortire** sarebbe stato molto più difficile che tenere il figlio. Ad Augusto un aborto **non sarebbe sfuggito**. Come potevo giustificarlo ai suoi occhi dopo che per tanti anni avevo insistito sul desiderio di avere un figlio? E poi io non volevo abortire, quella creatura che mi cresceva dentro non era stato uno **sbaglio**, qualcosa da eliminare al più presto. Era il **compiersi** di un desiderio, forse il desiderio più grande e più intenso di tutta la mia vita.

Quando si ama un uomo – quando lo si ama con la totalità del corpo e dell'anima – la cosa più naturale è desiderare un figlio. Non si tratta di un desiderio intelligente, di una scelta basata su **criteri di razionalità**. Prima di conoscere Ernesto immaginavo di volere un figlio e sapevo esattamente perché lo volevo e quali sarebbero stati **i pro e i contro** dell'averlo. Era una scelta razionale insomma, volevo un figlio perché avevo una certa età ed ero molto sola, perché ero una donna e se le donne non fanno niente, almeno possono fare i figli. Capisci? Nell'acquistare una macchina avrei **adottato** esattamente lo stesso criterio.

buon senso common sense, logic

un'avidità di possesso perpetuo a greediness for eternal
  possession
come mi sono comportata the way I behaved
rabbrividirai you will shudder
lati così bassi such base aspects/facets
spregevoli despicable

è rimasto subito colpito was struck immediately
coinvolgere get caught up in it

gli annunciai (*passato remoto*) I gave him (*literally:*
  announced to him)

stette (*passato remoto*) remained

sordità deafness
ragionamenti procedevano a scossoni his reasoning was in
  fits and starts
scarti o spezzoni di ricordi lost bits or pieces of memories
commozione being moved
provai (*passato remoto*) I felt
sottile subtle
fastidio annoyance
retorica rhetoric
La nipotina [His] granddaughter
rinsecchito e decrepito dried up and decrepit
neutra neutral
responso delle analisi test results

Ma quando quella notte ho detto a Ernesto: «Voglio un figlio», era qualcosa di assolutamente diverso, tutto il **buon senso** andava contro questa decisione eppure questa decisione era più forte di tutto il buon senso. E poi, in fondo, non era neanche una decisione, era una frenesia, **un'avidità di possesso perpetuo**. Volevo Ernesto dentro di me, con me, accanto a me per sempre. Adesso, leggendo come **mi sono comportata**, probabilmente **rabbrividirai** per l'orrore, ti domanderai come mai non ti sei accorta prima che nascondevo dei **lati così bassi**, così **spregevoli**. Quando sono arrivata alla stazione di Trieste ho fatto l'unica cosa che potevo fare, sono scesa dal treno come una moglie tenera e innamoratissima. Augusto **è rimasto subito colpito** dal mio cambiamento, invece di farsi domande si è lasciato **coinvolgere**.

Dopo un mese era ormai plausibilissimo che quel figlio fosse suo. Il giorno in cui **gli annunciai** il risultato delle analisi lasciò l'ufficio a metà mattina e passò tutta la giornata con me a progettare cambiamenti in casa per l'arrivo del bambino. Quando avvicinando la mia testa alla sua gli gridai la notizia, mio padre prese le mie mani tra le sue mani secche e **stette** così, fermo per un po', mentre gli occhi gli diventavano umidi e rossi. Già da tempo la **sordità** l'aveva escluso da gran parte della vita e i suoi **ragionamenti procedevano a scossoni**, tra una frase e l'altra c'erano vuoti improvvisi, **scarti o spezzoni di ricordi** che non c'entravano niente. Non so perché ma davanti a quelle sue lacrime, invece di **commozione provai** un **sottile** senso di **fastidio**. Vi leggevo dentro **retorica** e non altro. **La nipotina**, comunque, non riuscì a vederla. Morì nel sonno senza soffrire quando ero al sesto mese di gravidanza. Vedendolo composto nella bara fui colpita da quanto fosse **rinsecchito e decrepito.** Sul viso aveva la stessa espressione di sempre, distante e **neutra**.

Naturalmente, dopo aver ricevuto il **responso delle analisi**, scrissi anche a Ernesto; la sua risposta arrivò in meno di dieci

sgradevole unpleasant
il contenuto its contents
gabinetto toilet
pacate e ragionevoli calm and reasonable

appianati [having] overcome
ostacoli obstacles
mostro monster
rimorso remorse
a fingere to pretend
ventre [my] womb

sfumature shades
Non facevo nessuna fatica I didn't have any problem
gli volevo davvero bene I was truly fond of him

fratello maggiore older brother
noioso boring
cattivo mean
non mi sarei mai sognata I would never have dreamed
mortalmente metodico e prevedibile deathly methodical
    and predictable
nel profondo deep down
svelargli il segreto reveal the secret to him
precipitato cast headlong

un caso molto comune quite a commonplace thing
concepisse conceives
nell'ambito within the confines

giorni. Aspettai alcune ore prima di aprire la lettera, ero molto agitata, temevo ci fosse dentro qualcosa di **sgradevole**. Mi decisi a leggere **il contenuto** solo nel tardo pomeriggio, per poterlo fare liberamente mi chiusi nel **gabinetto** di un caffè. Le sue parole erano **pacate** e **ragionevoli**. «Non so se questa sia la cosa migliore da farsi», diceva, «ma se tu hai deciso così, rispetto la tua decisione.»

Da quel giorno, **appianati** ormai tutti gli **ostacoli**, cominciò la mia tranquilla attesa di madre. Mi sentivo un **mostro**? Lo ero? Non lo so. Durante la gravidanza e per molti degli anni che sono seguiti non ho mai avuto un dubbio né un **rimorso**. Come facevo **a fingere** di amare un uomo mentre nel **ventre** portavo il figlio di un altro che amavo davvero? Ma vedi, in realtà le cose non sono mai così semplici, non sono mai o nere o bianche, ogni tinta porta in sé tante **sfumature** diverse. **Non facevo nessuna fatica** a essere gentile e affettuosa con Augusto perché **gli volevo davvero bene**. Gliene volevo in modo molto diverso da come lo volevo a Ernesto, lo amavo non come una donna ama un uomo, ma come una sorella ama un **fratello maggiore** un po' **noioso**. Se lui fosse stato **cattivo** tutto sarebbe stato diverso, **non mi sarei mai sognata** di fare un figlio e vivergli accanto, ma lui era soltanto **mortalmente metodico e prevedibile**; a parte questo, **nel profondo** era gentile e buono. Era felice di avere quel figlio e io ero felice di darglielo. Per quale motivo avrei dovuto **svelargli il segreto?** Nel farlo avrei **precipitato** tre vite nell'infelicità permanente. Così almeno pensavo quella volta. Adesso che c'è libertà di movimento, di scelta, può sembrare davvero orribile quello che ho fatto, ma allora – quando mi sono trovata a vivere questa situazione – era **un caso molto comune,** non dico che ce ne fosse uno in ogni coppia ma certo era piuttosto frequente che una donna **concepisse** un figlio con un altro uomo **nell'ambito** di un matrimonio. E cosa succedeva? Quel che è successo a me, assolutamente niente. Il bambino nasceva, cresceva uguale agli

fondamenta saldissime very sturdy foundations

frutto dell'amore a love child
del caso *in effect:* conceived by accident
delle convenzioni out of social convention
della noia out of boredom
Come mi sbagliavo! How mistaken I was!

scossoni [anything] earth-shattering

casa in affitto rental home

perfetto estraneo perfect stranger

ombrellone beach umbrella
dissimulando faking

l'impiego stagionale [his] seasonal job

ero molto presa I was very taken with
anche volendo even if I'd wanted to

stabilito un patto made a pact

altri fratelli, diventava grande senza che lo sfiorasse mai neppure un sospetto. La famiglia a quei tempi aveva **fondamenta saldissime**, per distruggerla ci voleva molto più di un figlio diverso. Così andò con tua madre. Nacque e fu subito figlia mia e di Augusto. La cosa più importante per me era che Ilaria fosse il **frutto dell'amore** e non **del caso, delle convenzioni** o **della noia**; pensavo che questo avrebbe eliminato qualsiasi altro problema. **Come mi sbagliavo!**

Nei primi anni comunque tutto è andato avanti in modo naturale, senza **scossoni**. Vivevo per lei, ero – o credevo di essere – una madre molto affettuosa e attenta. Già dalla prima estate avevo preso l'abitudine di passare i mesi più caldi assieme alla bambina sulla riviera adriatica. Avevamo preso una **casa in affitto** e ogni due o tre settimane Augusto veniva a passare il sabato e la domenica con noi.

Su quella spiaggia Ernesto vide sua figlia per la prima volta. Naturalmente fingeva di essere un **perfetto estraneo**, durante la passeggiata camminava "per caso" vicino a noi, prendeva un **ombrellone** a pochi passi di distanza e da lì – quando non c'era Augusto – **dissimulando** la sua attenzione dietro un libro o un giornale ci osservava per ore. La sera poi mi scriveva lunghe lettere registrando tutto quello che gli era passato per la testa, i suoi sentimenti per noi, quello che aveva visto. Intanto anche a sua moglie era nato un altro figlio, lui aveva lasciato **l'impiego stagionale** delle terme e aveva aperto nella sua città, a Ferrara, uno studio medico privato. Nei primi tre anni di Ilaria, a parte quegli incontri fintamente casuali, non ci siamo mai visti. Io **ero molto presa** dalla bambina, ogni mattina mi svegliavo con la gioia di sapere che lei c'era, **anche volendo** non avrei potuto dedicarmi a nient'altro.

Poco prima di lasciarci, durante l'ultimo soggiorno alle terme Ernesto e io avevamo **stabilito un patto**. «Ogni sera», aveva detto Ernesto, «alle undici in punto, in qualsiasi luogo mi trovi e in qualsiasi situazione, uscirò all'aperto e

Sirio Sirius, the Dog Star (the brightest star in the night sky)
Tu farai altrettanto You'll do the same

tra Orione e Betelgeuse...Arturo between the constellation
   of Orion and the star Betelgeuse, he showed me Arcturus

nel cielo cercherò **Sirio**. **Tu farai altrettanto** e così i nostri pensieri, anche se saremo lontanissimi, anche se non ci saremo visti da tempo e ignoreremo tutto uno dell'altra, si ritroveranno lassù e staranno vicini.» Poi eravamo usciti sul balcone della pensione e da lì salendo con il dito tra le stelle, **tra Orione e Betelgeuse, mi aveva mostrato Arturo.**

parecchi squilli several rings
cornetta receiver
incerta del sonno shaky/unsteady from sleep

mi aveva scosso had shaken me

Affranta dal dolore Overcome with grief

condoglianze condolences

alone di luce tremolante glow of flickering light

parlava a fatica spoke haltingly
sibili *here:* static (*literally:* hisses)
rumori di fondo background noises

compatito made allowances for

Questa notte sono stata svegliata all'improvviso da un rumore, ci ho messo un po' per capire che era il telefono. Quando mi sono alzata aveva già fatto **parecchi squilli**, ha smesso di suonare non appena l'ho raggiunto. Ho sollevato la **cornetta** lo stesso, con la voce **incerta del sonno** ho detto due o tre volte «pronto». Invece di tornare a letto mi sono seduta nella poltrona lì accanto. Eri tu? Chi altro poteva essere? Quel suono nel silenzio notturno della casa **mi aveva scosso**. Mi è venuta in mente la storia che mi aveva raccontato una mia amica alcuni anni prima. Aveva il marito in ospedale da tempo. A causa della rigidità degli orari il giorno in cui è morto lei non ha potuto essergli accanto. **Affranta dal dolore** per averlo perso in quel modo, la prima notte non era riuscita a dormire, stava lì nel buio quando all'improvviso aveva suonato il telefono. Era rimasta sorpresa, possibile che qualcuno le telefonasse per le **condoglianze** a quell'ora? Mentre avvicinava la mano al ricevitore era stata colpita da un fatto strano, dall'apparecchio si levava un **alone di luce tremolante**. Appena aveva risposto la sorpresa si era trasformata in terrore. C'era una voce lontanissima dall'altra parte del filo, **parlava a fatica**: «Marta», diceva tra **sibili** e **rumori di fondo**, «volevo salutarti prima di andarmene...». Era la voce di suo marito. Finita questa frase c'era stato per un istante un rumore forte di vento, subito dopo la linea si era interrotta ed era calato il silenzio.

Quella volta avevo **compatito** la mia amica per lo stato di profondo turbamento nel quale si trovava: l'idea che i morti

scegliessero (*subjunctive*) chose

quanto meno to say the least

emotività emotional range

In fondo in fondo, molto in fondo Deep down inside, very
very deep down

Aldilà Afterlife

seppellito buried

sopravvissuta a un naufragio survived a shipwreck

corrente tide (*literally:* current)

portato in salvo brought to safety

li ho persi di vista I lost sight of them

si è ribaltata capsized

affogati drowned

a scrutare scrutinizing

sbuffo gust

segnale di fumo smoke signal

fuori posto out of place

erano crollate had fallen

mensole, calze, sciarpe e mutande shelves, socks, scarves,
and underwear

marcito rotted

sostegni dei ripiani shelf supports

ceduto given way

assestata settled into

quotidianità daily routine

raduno meeting, gathering

imbucai I mailed (*literally:* put the letter in the mailbox)

per comunicare **scegliessero** i mezzi più moderni mi sembrava **quanto meno** bizzarra. Tuttavia quella storia deve avere lasciato lo stesso una traccia nella mia **emotività. In fondo in fondo, molto in fondo,** nella parte di me più ingenua e più magica forse anch'io spero che prima o poi nel cuore della notte qualcuno mi telefoni per salutarmi dall'**Aldilà.** Ho **seppellito** mia figlia, mio marito e l'uomo che più di tutti amavo al mondo. Sono morti, non ci sono più, tuttavia continuo a comportarmi come fossi **sopravvissuta a un naufragio.** La **corrente** mi ha **portato in salvo** su un'isola, non so più niente dei miei compagni, **li ho persi di vista** nel momento stesso in cui la barca **si è ribaltata,** potrebbero essere **affogati** – lo sono quasi per certo – ma potrebbero anche non esserlo. Nonostante siano trascorsi mesi e anni, continuo **a scrutare** le isole vicine in attesa di uno **sbuffo,** di un **segnale di fumo,** qualcosa che confermi il mio sospetto che vivano ancora tutti con me sotto lo stesso cielo.

La notte in cui è morto Ernesto sono stata svegliata all'improvviso da un forte rumore. Augusto ha acceso la luce e ha esclamato: «Chi è?». Nella stanza non c'era nessuno, niente era **fuori posto.** Soltanto la mattina aprendo la porta dell'armadio mi sono accorta che all'interno **erano crollate** tutte le **mensole, calze, sciarpe e mutande** erano precipitate le une sulle altre.

Adesso posso dire «la notte in cui è morto Ernesto». Quella volta però non lo sapevo, avevo appena ricevuto una sua lettera, non potevo neanche lontanamente immaginare che cosa fosse successo. Ho pensato unicamente che l'umidità avesse **marcito** i **sostegni dei ripiani** e che per il troppo peso avessero **ceduto.** Ilaria aveva quattro anni, da poco aveva cominciato ad andare all'asilo, la mia vita con lei e con Augusto si era ormai **assestata** in una tranquilla **quotidianità.** Quel pomeriggio, dopo la riunione dei latinisti, andai in un caffè a scrivere a Ernesto. Da lì a due mesi ci sarebbe stato un **raduno** a Mantova, era l'occasione che aspettavamo da tanto tempo per rivederci. Prima di rientrare a casa **imbucai** la lettera e dalla settimana

disguido glitch

biglietto note

fondamenta foundation
corso d'acqua trickle of water
sottile thin
discreto discreet
lambiva it lapped at
sabbia sand
un urto a blow
far crollare la facciata bring down the façade

fatto atto registered

imposte shutters

trafiletto small article
a un malato to a sick person
sbattere crashed
platano plane tree (similar to a sycamore)
la morte era giunta quasi subito he died (*literally:* death
    came) almost instantly
rivistacce gossip magazines/rags
rubrica delle stelle astrology column
presiede Marte nell'ottava casa Mars in the eighth house
    rules

sinistro accoppiamento sinister alignment

dopo cominciai ad attendere la risposta. Non ricevetti la sua lettera la settimana seguente e neppure nelle settimane successive. Non mi era mai capitato di attendere tanto tempo. In principio pensai a qualche **disguido** postale, poi che forse si era ammalato e non aveva potuto andare allo studio a ritirare la posta. Un mese dopo gli scrissi un breve **biglietto** e anche quello rimase senza risposta. Con il passare dei giorni iniziai a sentirmi come una casa nelle cui **fondamenta** si è infiltrato un **corso d'acqua.** All'inizio era un corso **sottile**, **discreto**, **lambiva** appena le strutture di cemento ma poi, con il passare del tempo, si era fatto più grosso, più impetuoso, sotto la sua forza il cemento era diventato **sabbia**, anche se la casa stava ancora in piedi, anche se all'apparenza tutto era normale, io sapevo che non era vero, sarebbe bastato **un urto** anche minimo per **far crollare la facciata** e tutto il resto, per farla sedere su di sé come un castello di carte.

Quando partii per il convegno ero appena l'ombra di me stessa. Dopo aver **fatto atto** di presenza a Mantova andai dritta a Ferrara, lì cercai di capire cosa fosse successo. Allo studio non rispondeva nessuno, guardando dalla strada si vedevano delle **imposte** sempre chiuse. Al secondo giorno andai in una biblioteca e chiesi di consultare i giornali dei mesi precedenti. Lì in un **trafiletto** trovai scritto tutto. Tornando la notte da una visita **a un malato** aveva perso il controllo dell'auto ed era andato a **sbattere** contro un grande **platano, la morte era giunta quasi subito.** Il giorno e l'ora corrispondevano esattamente a quelle del crollo del mio armadio.

Una volta su una di quelle **rivistacce** che mi porta ogni tanto la signora Razman ho letto nella **rubrica delle stelle** che alle morti violente **presiede Marte nell'ottava casa.** Secondo quello che diceva l'articolo, chi nasce con questa configurazione di stelle è destinato a non morire sereno nel proprio letto. Chissà se nel cielo di Ernesto e di Ilaria brillava quel **sinistro accoppiamento.** A più di vent'anni di distanza padre e figlia

scivolai in un esaurimento profondissimo (*passato remoto*) I
   slid into a total [nervous] breakdown/deep depression
brillato shone
riflessa reflection
non mi appartenevano weren't a part of me

Scomparso lui [Once] he was gone
La vista di Ilaria The sight of Ilaria
scossa shaken
giunsi I arrived at
non le sfuggì didn't escape her
si accorse she was aware
ripulsa repulsion
capricciosa naughty
prepotente willful
a venire soffocato to become suffocated
Fiutava She sniffed out
sensi di colpa guilty feelings
segugio bloodhound
inferno di battibecchi e strilli a hell of squabbles and shouts
sollevarmi relieve me
ad appassionarla interesting her
tentativi attempts
che schifo! how gross/disgusting!
lasciò perdere (*passato remoto*) he gave up
specchiera mirror
invecchiata aged
lineamenti features
traspariva showed
durezza hardness
Trascurarmi Letting myself go
disprezzo distaste, contempt
specie di trance sort of trance

se ne sono andati nello stesso identico modo, sbattendo con l'auto contro un albero.

Dopo la morte di Ernesto **scivolai in un esaurimento profondissimo**. Tutt'a un tratto mi ero resa conto che la luce di cui avevo **brillato** negli ultimi anni non veniva dal mio interno, era soltanto **riflessa**. La felicità, l'amore per la vita che avevo provato in realtà **non mi appartenevano** veramente, avevo soltanto funzionato come uno specchio. Ernesto emanava luce e io la riflettevo. **Scomparso lui** tutto era tornato opaco. **La vista di Ilaria** non mi provocava più gioia ma irritazione, ero talmente **scossa** che **giunsi** persino a dubitare che fosse davvero figlia di Ernesto. Questo cambiamento **non le sfuggì**, con le sue antenne di bambina sensibile **si accorse** della mia **ripulsa**, divenne **capricciosa**, **prepotente**. Ormai era lei la pianta giovane e vitale, io il vecchio albero pronto **a venire soffocato**. **Fiutava** i miei **sensi di colpa** come un **segugio**, li usava per arrivare più in alto. La casa era diventata un piccolo **inferno di battibecchi e strilli**.

Per **sollevarmi** di quel peso Augusto assunse una donna affinché si occupasse della bambina. Per un po' aveva provato **ad appassionarla** agli insetti, ma dopo tre o quattro **tentativi** – visto che lei ogni volta urlava «**che schifo!**» – **lasciò perdere**. All'improvviso i suoi anni vennero fuori, più che il padre di sua figlia sembrava il nonno, con lei era gentile ma distante. Quando passavo davanti alla **specchiera** anch'io mi vedevo molto **invecchiata**, dai miei **lineamenti traspariva** una **durezza** che non c'era mai stata prima. **Trascurarmi** era un modo per manifestare il **disprezzo** che provavo per me stessa. Tra la scuola e la donna di servizio avevo ormai molto tempo libero. L'inquietudine mi spingeva a passarlo per lo più in movimento, prendevo la macchina e andavo avanti e indietro per il Carso, guidavo in una **specie di trance**.

Ripresi alcune delle letture religiose che avevo fatto durante la mia permanenza a L'Aquila. Tra quelle pagine cercavo con

ripetevo tra me e me I repeated to myself
confessore confessor
sconsolata disconsolate
dolciastre cloying
inneggiavano they extolled
fede faith
genere alimentare foodstuff
farmi una ragione resign myself
scoperta discovery
possedere possessing

risolta settled
stabile stable
smuovermi unhinge me
orgogliosa proud, prideful

un passo da sola one step on [my] own

deboli weak
caviglie cedevano ankles gave out
malfermi unsteady
aggrapparmi a un bastone grab onto a crutch/cane

ci si trova nudi one finds oneself naked

tutto da capo all over again

furore una risposta. Camminando **ripetevo tra me e me** la frase di sant'Agostino per la morte della madre: «Non rattristiamoci di averla persa, ma ringraziamo di averla avuta».

Un'amica mi aveva fatto incontrare due o tre volte il suo **confessore**, da quegli incontri uscivo ancora più **sconsolata** di prima. Le sue parole erano **dolciastre**, **inneggiavano** alla forza della **fede** come se la fede fosse un **genere alimentare** in vendita nel primo negozio sulla strada. Non riuscivo a **farmi una ragione** della perdita di Ernesto, la **scoperta** di non **possedere** una luce mia rendeva ancora più difficili i tentativi di trovare una risposta. Vedi, quando lo avevo incontrato, quando era nato il nostro amore, all'improvviso mi ero convinta che tutta la mia vita fosse **risolta**, ero felice di esistere, felice di tutto ciò che assieme a me esisteva, mi sentivo arrivata al punto più alto del mio cammino, al punto più **stabile**, ero certa che da lì niente e nessuno sarebbe riuscito a **smuovermi**. Dentro di me c'era la sicurezza un po' **orgogliosa** delle persone che hanno capito tutto. Per molti anni ero stata certa di aver percorso la strada con le mie gambe, invece non avevo fatto neanche **un passo da sola**. Anche se non me ne ero mai accorta, sotto di me c'era un cavallo, era stato lui a procedere nel cammino, non io. Nel momento in cui il cavallo è scomparso mi sono accorta dei miei piedi, di quanto fossero **deboli**, volevo camminare e le **caviglie cedevano**, i passi che facevo erano i passi **malfermi** di un bambino molto piccolo o di un vecchio. Per un attimo ho pensato di **aggrapparmi a un bastone** qualsiasi: la religione poteva essere uno, un altro il lavoro. È un'idea che è durata pochissimo. Quasi subito ho capito che sarebbe stato l'ennesimo sbaglio. A quarant'anni non c'è più spazio per gli errori. Se a un tratto **ci si trova nudi**, bisogna avere il coraggio di guardarsi nello specchio così come si è. Dovevo cominciare **tutto da capo**. Già, ma da dove? Da me stessa. Tanto era facile dirlo, altrettanto era difficile farlo. Dov'ero io? Chi ero? Quand'era l'ultima volta che ero stata me stessa?

peggiorato worsened

sollievo relief
certi esaurimenti certain types of breakdowns

rischio risk

ignavia lethargy
quieto vivere a quiet lifestyle
grata grateful
tirarsi da parte withdrawing
ostacolare blocking

a trattenermi to hold me back

fine a se stessa an end in itself
là dentro somewhere inside
scorgevo I saw it
gradino gigante giant step
Era lì perché lo superassi? Was it there so I would
    overcome it?

chiesetta little church
s'intravedeva la sommità one got a glimpse of the summit
castelliere castellar (the remains of a prehistoric village)
galline razzolavano hens were scratching about

raccogliere i pensieri gather [my] thoughts
sentiero sassoso rocky trail

Te l'ho già detto, giravo per pomeriggi interi per l'altipiano. Alle volte, quando intuivo che la solitudine avrebbe **peggiorato** ancora di più il mio umore, scendevo giù in città, mischiata tra la folla facevo avanti e indietro le vie più note cercando un qualche tipo di **sollievo**. Ormai era come se avessi un lavoro, uscivo quando usciva Augusto e tornavo quando lui rientrava. Il medico che mi curava gli aveva detto che in **certi esaurimenti** era normale desiderare di muoversi tanto. Visto che in me non c'erano idee suicide, non c'era nessun **rischio** a lasciarmi correre in giro; correndo e correndo secondo lui, alla fine mi sarei calmata. Augusto aveva accettato le sue spiegazioni, non so se vi credesse davvero o in lui ci fosse soltanto **ignavia** e **quieto vivere**, comunque gli ero **grata** di quel suo **tirarsi da parte**, di quel non **ostacolare** la mia grande inquietudine.

Su una cosa comunque il medico aveva ragione, in quel grande esaurimento depressivo non avevo idee suicide. È strano ma era proprio così, neanche per un istante dopo la morte di Ernesto ho pensato di uccidermi, non credere che fosse Ilaria **a trattenermi**. Te l'ho detto, di lei in quel momento non me ne importava assolutamente niente. Piuttosto in qualche parte di me intuivo che quella perdita così improvvisa non era - non doveva – non poteva essere – **fine a se stessa**. C'era un senso **là dentro**, questo senso lo **scorgevo** davanti a me come un **gradino gigante. Era lì perché lo superassi?** Probabilmente sì, ma non riuscivo a immaginare cosa ci fosse dietro, cosa avrei visto una volta salita.

Un giorno con la macchina arrivai in un posto dove non ero mai stata prima. C'era una **chiesetta** con un piccolo cimitero intorno, ai lati delle colline coperte di boscaglia, sulla cima di una di queste **s'intravedeva la sommità** chiara di un **castelliere**. Poco più in là della chiesa c'erano due o tre case di contadini, **galline razzolavano** liberamente per la strada, un cane nero abbaiava. Sul cartello c'era scritto Samatorza. Samatorza, il suono somigliava a solitudine, il posto giusto dove **raccogliere i pensieri**. Da lì partiva un **sentiero sassoso**, cominciai a

ghiandaia jay
trasalire jump, start
radura clearing

frullava it fluttered

schiena [my] back
nuca back of [my] neck
frontespizio cover page

camminare senza chiedermi dove mai portasse. Il sole stava già scendendo ma più andavo avanti meno avevo voglia di fermarmi, ogni tanto una **ghiandaia** mi faceva **trasalire**. C'era qualcosa che mi chiamava avanti, cosa fosse lo capii soltanto quando arrivai nello spazio aperto di una **radura**, quando vidi là in mezzo, placida e maestosa, con i rami aperti come braccia pronte ad accogliermi, una quercia enorme.

È buffo a dirlo ma appena l'ho vista il cuore ha cominciato a battere in modo diverso, più che battere **frullava**, sembrava un animaletto contento, alla stessa maniera batteva soltanto quando vedevo Ernesto. Mi sono seduta sotto, l'ho accarezzata, ho posato la **schiena** e la **nuca** sul suo tronco.

Gnothi seauton, così da ragazza avevo scritto sul **frontespizio** del mio quaderno di greco. Ai piedi della quercia quella frase sepolta nella memoria all'improvviso mi è tornata in mente. *Conosci te stesso*. Aria, respiro.

gira intorno all'argomento she avoids the subject
con discrezione with discretion
un'ingrata an ingrate

annuisco I nod

ipocrisia hypocrisy

saggi wise
Comprensione Understanding (*literally:* Comprehension)
cammino che ognuno percorre path each one takes
di giudicare judging
trascritto wrote it down
bloc-notes notepad
irrazionali irrational
pazze crazy, deranged
fraintendere to misunderstand

Questa notte è caduta la neve, appena mi sono svegliata ho visto tutto il giardino bianco. Buck correva sul prato come pazzo, saltava, abbaiava, prendeva un ramo in bocca e lo lanciava in aria. Più tardi è venuta a trovarmi la signora Razman, abbiamo bevuto un caffè, mi ha invitato a trascorrere la sera di Natale assieme. «Cosa fa tutto il tempo?» mi ha domandato prima di andarsene. Ho sollevato le spalle. «Niente», le ho risposto, «un po' guardo la televisione, un po' penso.»

Di te non mi chiede mai niente, **gira intorno all'argomento con discrezione** ma dal tono della sua voce capisco che ti considera **un'ingrata.** «I giovani», dice spesso nel mezzo di un discorso, «non hanno cuore, non hanno più il rispetto che avevano una volta.» Per non farla andare oltre **annuisco,** dentro di me però sono convinta che il cuore sia lo stesso di sempre, c'è solo meno **ipocrisia,** tutto qui. I giovani non sono naturalmente egoisti, così come i vecchi non sono naturalmente **saggi. Comprensione** e superficialità non appartengono agli anni ma al **cammino che ognuno percorre.** Da qualche parte che non ricordo, non molto tempo fa ho letto un motto degli indiani d'America che diceva: *"Prima **di giudicare** una persona cammina per tre lune nei suoi mocassini".* Mi è piaciuto talmente che per non dimenticarlo l'ho **trascritto** sul **bloc-notes** vicino al telefono. Viste dall'esterno molte vite sembrano sbagliate, **irrazionali, pazze.** Finché si sta fuori è facile **fraintendere** le persone, i loro rapporti. Soltanto da dentro, soltanto camminando tre lune con i loro mocassini si possono

umiltà humility
infilerai le mie pantofole you'll put on my slippers
ciabatterai you'll pad around
antipatici hated
elemosinare begging
pietà pity
assoluzione postuma posthumous absolution

menzogne lies

fallimento utter failure
vanifica il senso di una vita makes one's life lived in vain
fini a se stesse ends in themselves
gratuite gratuitous
racchiude in sé comprises
significato meaning
disponibilità openness, availability
accoglierli welcome them
**lasciare la pelle vecchia come le lucertole al cambio di
  stagione** rid oneself of old skin like a lizard at the change
  of seasons

scacciare banish, overcome

provati a decine gone with dozens [of men]
insoddisfatta unsatisfied
mi sarei contornata di giovanotti I would have surrounded
  myself with young men
drastiche drastic

comprendere le motivazioni, i sentimenti, ciò che fa agire una persona in un modo piuttosto che in un altro. La comprensione nasce dall'**umiltà** non dall'orgoglio del sapere.

Chissà se **infilerai le mie pantofole** dopo aver letto questa storia? Spero di sì, spero che **ciabatterai** a lungo da una stanza all'altra, che farai più volte il giro del giardino, dal noce al ciliegio, dal ciliegio alla rosa, dalla rosa a quegli **antipatici** pini neri in fondo al prato. Lo spero, non per **elemosinare** la tua **pietà**, né per avere un'**assoluzione postuma**, ma perché è necessario per te, per il tuo futuro. Capire da dove si viene, cosa c'è stato dietro di noi è il primo passo per poter andare avanti senza **menzogne**.

Questa lettera avrei dovuto scriverla a tua madre, invece l'ho scritta a te. Se non l'avessi scritta per niente allora sì che la mia esistenza sarebbe stata davvero un **fallimento**. Fare errori è naturale, andarsene senza averli compresi **vanifica il senso di una vita**. Le cose che ci accadono non sono mai **fini a se stesse**, **gratuite**, ogni incontro, ogni piccolo evento **racchiude in sé** un **significato**, la comprensione di se stessi nasce dalla **disponibilità** ad **accoglierli**, dalla capacità in qualsiasi momento di cambiare direzione, **lasciare la pelle vecchia come le lucertole al cambio di stagione**.

Se quel giorno a quasi quarant'anni non mi fosse venuta in mente la frase del mio quaderno di greco, se lì non avessi messo un punto prima di andare di nuovo avanti, avrei continuato a ripetere gli stessi sbagli che avevo fatto fino a quell'istante. Per **scacciare** il ricordo di Ernesto avrei potuto trovare un altro amante e poi un altro e un altro ancora; nella ricerca di una sua copia, nel tentativo di ripetere quello che avevo già vissuto, ne avrei **provati a decine**. Nessuno sarebbe stato uguale all'originale e sempre più **insoddisfatta** sarei andata avanti, forse già vecchia e ridicola **mi sarei contornata di giovanotti**. Oppure avrei potuto odiare Augusto, in fondo anche a causa della sua presenza mi era stato impossibile prendere decisioni più **drastiche**. Capisci?

scappatoie escape routes/hatches

si svolge is going

proliferare di santoni proliferation of gurus
dettami dictates
dilagare spreading out
maestri teachers, masters
propugnano they advocate/adhere to
pace in sé inner peace
smarrimento generale general bewilderment
millennio millennium
pura convenzione pure convention
intimorisce it frightens [you]
imbevuti soaked
profeti prophets
ennesima umpteenth
spaventosa scary
menzogna lie

compaiono start appearing
così ovvie so [totally] obvious
Ma come, tutto qui? Wait a minute, that's it?
vorticano whirl around
Bella scoperta *literally:* Nice discovery; *here, more
    sarcastically and colloquially:* Rocket science

Trovare **scappatoie** quando non si vuol guardare dentro se stessi è la cosa più facile al mondo. Una colpa esterna esiste sempre, è necessario avere molto coraggio per accettare che la colpa – o meglio la responsabilità – appartiene a noi soltanto. Eppure, te l'ho detto, questo è l'unico modo per andare avanti. Se la vita è un percorso, è un percorso che **si svolge** sempre in salita.

A quarant'anni ho capito da dove dovevo partire. Capire dove dovevo arrivare è stato un processo lungo, pieno di ostacoli ma appassionante. Sai, adesso dalla televisione, dai giornali, mi capita di vedere, di leggere tutto questo **proliferare di santoni**: è pieno di gente che da un giorno all'altro si mette a seguire i loro **dettami**. A me fa paura il **dilagare** di tutti questi **maestri**, le vie che **propugnano** per trovare la **pace in sé**, l'armonia universale. Sono le antenne di un grande **smarrimento generale**. In fondo – e neanche tanto in fondo – siamo alla fine di un **millennio**, anche se le date sono una **pura convenzione intimorisce** lo stesso, tutti si aspettano che succeda qualcosa di tremendo, vogliono essere pronti. Allora vanno dai santoni, si iscrivono a scuole per trovare se stessi e dopo un mese di frequenza sono già **imbevuti** dell'arroganza che contraddistingue i **profeti**, i falsi profeti. Che grande, **ennesima, spaventosa menzogna!**

L'unico maestro che esiste, l'unico vero e credibile è la propria coscienza. Per trovarla bisogna stare in silenzio – da soli e in silenzio – bisogna stare sulla nuda terra, nudi e senza nulla intorno come se si fosse già morti. In principio non senti niente, l'unica cosa che provi è terrore ma poi, in fondo, lontana, cominci a sentire una voce, è una voce tranquilla e forse all'inizio con la sua banalità ti irrita. È strano, quando ti aspetti di sentire le cose più grandi davanti a te **compaiono** le piccole. Sono così piccole e **così ovvie** che ti verrebbe da gridare: «**Ma come, tutto qui?**». Se la vita ha un senso – ti dirà la voce – questo senso è la morte, tutte le altre cose **vorticano** solo intorno. **Bella scoperta**, osserverai a questo punto, bella macabra scoperta, che si deve morire lo sa anche l'ultimo degli

si scagliava ranted and raved, fought

muscolo muscle

malattia illness

si rifiutava she refused
raggiungendo achieving
incrinarla to undermine/sabotage [my serenity]
trascinarmi drag me
asserragliata barracaded
offuscare obfuscate, cloud

mi aprivo I was opening up

consolare console

non lieve *in effect:* fairly severe (*literally:* not light)

ciabattando shuffling about [in his slippers]
se ne è andato he died

uomini. È vero, con il pensiero lo sappiamo tutti, ma saperlo con il pensiero è una cosa, saperlo con il cuore è un'altra, completamente diversa. Quando tua madre **si scagliava** contro di me con la sua arroganza le dicevo: «Mi fai male al cuore». Lei rideva. «Non essere ridicola», mi rispondeva, «il cuore è un **muscolo**, se non corri non può far male.»

Tante volte ho provato a parlarle quando era ormai abbastanza grande per capire, a spiegarle il percorso che mi aveva portato ad allontanarmi da lei. «È vero», le dicevo, «a un certo punto della tua infanzia ti ho trascurata, ho avuto una grave **malattia**. Se avessi continuato a occuparmi di te da malata forse sarebbe stato peggio. Adesso sto bene», le dicevo, «possiamo parlarne, discutere, ricominciare da capo.» Lei non voleva saperne, «adesso sono io a stare male», diceva e **si rifiutava** di parlare. Odiava la serenità che stavo **raggiungendo**, faceva tutto il possibile per **incrinarla**, per **trascinarmi** nei suoi piccoli inferni quotidiani. Aveva deciso che il suo stato era l'infelicità. Si era **asserragliata** in se stessa perché niente potesse **offuscare** l'idea che si era fatta della sua vita. Razionalmente, certo, diceva di voler essere felice, ma in realtà – nel profondo – a sedici, diciassette anni aveva già chiuso qualsiasi possibilità di cambiamento. Mentre io lentamente **mi aprivo** a una dimensione diversa lei stava lì immobile con le mani sulla testa e aspettava che le cose le cadessero sopra. La mia nuova tranquillità la irritava, quando vedeva i Vangeli sul mio comodino, diceva: «Di cosa ti devi **consolare**?».

Quando è morto Augusto non ha neanche voluto venire al suo funerale. Negli ultimi anni era stato colpito da una forma **non lieve** di arteriosclerosi, girava per casa parlando come un bambino e lei non lo sopportava. «Cosa vuole questo signore?» gridava non appena lui, **ciabattando**, compariva sulla porta di una stanza. Quando **se ne è andato** lei aveva sedici anni, da quando ne aveva quattordici non lo chiamava più papà. È morto in ospedale un pomeriggio di novembre. L'avevano

ricoverato *false cognate:* admitted him to the hospital (Not "recovered" in the sense of "regained health")

attacco di cuore heart attack

lacci ties, laces

la neve si sta sciogliendo the snow is melting

a chiazze in spots/patches

non si è detto that's been left unsaid

si dilata it expands

sospeso suspended

ti confonde it clouds [your mind], confuses you

nebbia spessa thick fog

sconforto distress

gesuita tedesco German Jesuit priest

ricoverato il giorno prima per un **attacco di cuore**. Ero nella stanza con lui, non aveva addosso il pigiama ma un camice bianco legato sulla schiena con dei **lacci**. Secondo i dottori il peggio era già passato.

L'infermiera aveva appena portato la cena quando lui, come se avesse visto qualcosa, si è alzato all'improvviso e ha fatto tre passi verso la finestra. «Le mani di Ilaria», ha detto con lo sguardo opaco, «così non ce l'ha nessun altro in famiglia», poi è tornato a letto ed è morto. Ho guardato fuori dalla finestra. Cadeva una pioggia sottile. Gli ho accarezzato la testa.

Per diciassette anni, senza mai far trasparire niente, si era tenuto quel segreto dentro.

È mezzogiorno, c'è il sole e **la neve si sta sciogliendo**. Sul prato davanti casa **a chiazze** compare l'erba gialla, dai rami degli alberi una dopo l'altra cadono gocce d'acqua. È strano, ma con la morte di Augusto mi sono resa conto che la morte in sé, da sola, non porta lo stesso tipo di dolore. C'è un vuoto improvviso – il vuoto è sempre uguale – ma è proprio in questo vuoto che prende forma la diversità del dolore. Tutto quello che **non si è detto** in questo spazio si materializza e **si dilata**, si dilata e si dilata ancora. È un vuoto senza porte, senza finestre, senza vie di uscita, ciò che resta lì **sospeso** ci resta per sempre, sta sulla tua testa, con te, intorno a te, ti avvolge e **ti confonde** come una **nebbia spessa**. Il fatto che Augusto sapesse di Ilaria e non me l'avesse mai detto mi aveva gettato in uno **sconforto** gravissimo. A quel punto avrei voluto parlargli di Ernesto, di cosa era stato per me, avrei voluto parlargli di Ilaria, avrei voluto discutere con lui di tantissime cose ma non era più possibile.

Adesso forse puoi capire ciò che ti ho detto all'inizio: i morti pesano non tanto per assenza quanto per ciò che – tra loro e noi – non è stato detto.

Come dopo la scomparsa di Ernesto, così anche dopo la scomparsa di Augusto avevo cercato conforto nella religione. Da poco avevo conosciuto un **gesuita tedesco**, aveva appena

Accortosi Noticing

entrambi both of us

scarponi hiking boots

zaino backpack, knapsack

volto scavato gaunt face

mi intimoriva intimidated me

provocare scandalo cause (*literally:* provoke) a scandal

attirarmi condanne subject myself to condemnation

giudizi impietosi merciless criticism (*literally:* judgments)

ci riposavamo we were resting

smisi di mentire (*passato remoto*) I stopped dissembling/all
  the deception

dolciastro mawkishness

più scontati *here:* gratuitously trotted out (*literally:* taken for
  granted)

gli era estraneo were foreign to him

specie di durezza sort of hardness

respingente off-putting

Solo il dolore fa crescere Only pain makes you grow

preso di petto confronted head on (*literally:* taken in the
  chest)

svicola evades it

si compiange feels sorry for himself

guerreschi war-like, military

lotta silenziosa silent struggle

in ombra obscured by shadow, in darkness

dappertutto throughout

comunque however, in any case

rane, anfibi frogs, amphibians

quaggiù down here [on the earth]

tende reaches

coscienti aware

perché so that

scompaia disappear

sopraffatta *in effect:* eclipsed

Diffidi Distrust

in tasca handy (*literally:* in [one's] pocket)

qualche anno più di me. **Accortosi** del mio disagio per le funzioni religiose, dopo qualche incontro mi propose di vederci in un luogo diverso dalla chiesa.

Siccome **entrambi** amavamo camminare, decidemmo di fare delle passeggiate assieme. Veniva a prendermi tutti i mercoledì pomeriggio con indosso gli **scarponi** e un vecchio **zaino**, la sua faccia mi piaceva molto, aveva il **volto scavato** e serio di un uomo cresciuto tra i monti. All'inizio il suo essere prete **mi intimoriva**, ogni cosa che gli raccontavo gliela raccontavo a metà, avevo paura di **provocare scandalo**, di **attirarmi condanne, giudizi impietosi**. Poi un giorno, mentre **ci riposavamo** seduti su una pietra mi disse: «Fa male a se stessa, sa. Soltanto a se stessa». Da quel momento **smisi di mentire**, gli aprii il cuore come dopo la scomparsa di Ernesto non l'avevo fatto con nessun altro. Parlando e parlando, molto presto mi dimenticai che avevo di fronte un uomo di chiesa. Contrariamente agli altri preti che avevo incontrato, non conosceva parole di condanna né di consolazione, tutto il **dolciastro** dei messaggi **più scontati gli era estraneo**. C'era una **specie di durezza** in lui che a prima vista poteva sembrare **respingente**. «**Solo il dolore fa crescere**», diceva, «ma il dolore va **preso di petto**, chi **svicola** o **si compiange** è destinato a perdere.»

Vincere, perdere, i termini **guerreschi** che impiegava servivano a descrivere una **lotta silenziosa**, tutta interiore. Secondo lui il cuore dell'uomo era come la terra, metà illuminato dal sole e metà **in ombra**. Neanche i santi avevano luce **dappertutto**. «Per il semplice fatto che c'è il corpo», diceva, «siamo **comunque** ombra, siamo come le **rane, anfibi**, una parte di noi vive **quaggiù** in basso e l'altra **tende** all'alto. Vivere è soltanto essere **coscienti** di questo, saperlo, lottare perché la luce non **scompaia sopraffatta** dall'ombra. **Diffidi** di chi è perfetto», mi diceva, «di chi ha le soluzioni pronte **in tasca**, diffidi di tutto tranne di quello che le dice il suo cuore.»

251

affascinata fascinated

prendevano una forma took shape
percorrerla taking it
caro dear [to him]
severa stern
monaci russi Russian monks
l'orazione del cuore prayers (*literally:* orations) from the heart
oscuri obscure

acquazzone downpour
ci riparammo (*passato remoto*) we took shelter

le impedisce di ammetterlo prevents you from admitting it
si pone troppe domande you question [things] too much
dov'è semplice complica where it's simple, you complicate it
Si lasci andare Let yourself go
ciò che ha da venire verrà what must come forth will come
sgradevole unpleasant
mi ferivano hurt/injured me

gite excursions
da un giorno all'altro *in effect:* without warning (*literally:*
  from one day to the next)
lo rimossero dal suo incarico they removed him from his
  position
veemenza vehemence
fanatismo fanaticism

Io lo ascoltavo **affascinata**, non avevo mai trovato nessuno che esprimesse così bene ciò che si agitava da tempo in me senza riuscire a venir fuori. Con le sue parole i miei pensieri **prendevano una forma**, a un tratto c'era una via davanti, **percorrerla** non mi sembrava più impossibile.

Ogni tanto nello zaino portava qualche libro che gli era particolarmente **caro**; quando ci fermavamo me ne leggeva dei passaggi con la sua voce chiara e **severa**. Assieme a lui ho scoperto le preghiere dei **monaci russi, l'orazione del cuore**, ho compreso i passi del Vangelo e della Bibbia che fino allora mi erano sembrati **oscuri**. In tutti gli anni passati dalla scomparsa di Ernesto avevo sì fatto un cammino interiore, ma era un cammino limitato alla conoscenza di me stessa. In quel cammino a un certo punto mi ero trovata davanti a un muro, sapevo che oltre quel muro la strada andava avanti più luminosa e più larga ma non sapevo come fare a superarlo. Un giorno, durante un **acquazzone** improvviso, **ci riparammo** nell'ingresso di una grotta. «Come si fa ad avere fede?» gli chiesi là dentro. «Non si fa, viene. Lei ce l'ha già ma il suo orgoglio **le impedisce di ammetterlo, si pone troppe domande, dov'è semplice complica**. In realtà ha soltanto una paura tremenda. **Si lasci andare e ciò che ha da venire verrà.**»

Da quelle passeggiate tornavo a casa sempre più confusa, più incerta. Era **sgradevole**, te l'ho detto, le sue parole **mi ferivano**. Tante volte ho avuto il desiderio di non vederlo più, il martedì sera mi dicevo: adesso gli telefono, gli dico di non venire perché sto poco bene, invece non gli telefonavo. Il mercoledì pomeriggio l'attendevo puntuale sulla porta con lo zaino e gli scarponi.

Le nostre **gite** sono durate un po' più di un anno, **da un giorno all'altro** i suoi superiori **lo rimossero dal suo incarico**.

Ciò che ti ho detto ti potrà forse far pensare che padre Thomas fosse un uomo arrogante, che ci fosse **veemenza** o **fanatismo** nelle sue parole, nella sua visione del mondo. Invece

pacata e mite gentle and mild-mannered

ancorato anchored in
cose di tutti i giorni the mundane things of life
consegnato delivered
pascoli montani mountain pastures

cecità assoluta absolute blindness
chiarore a light
scordarmi forget
fiammella small flame
sarebbe bastato un soffio it would only take a puff

esaltazione rejoicing (*literally:* exaltation)
consapevolezza awareness, consciousness

non era così, nel profondo era la persona più **pacata e mite** che io abbia mai conosciuto, non era un soldato di Dio. Se un misticismo c'era nella sua personalità, era un misticismo tutto concreto, **ancorato** alle **cose di tutti i giorni.**

«Siamo qui, ora», mi ripeteva sempre.

Sulla porta mi ha **consegnato** una busta. Dentro c'era una cartolina con un paesaggio di **pascoli montani.** Il regno di Dio è dentro di voi, c'era stampato sopra in tedesco e sul retro, con la sua calligrafia, aveva scritto: «Seduta sotto la quercia non sia lei ma la quercia, nel bosco sia il bosco, sul prato sia il prato, tra gli uomini sia con gli uomini».

Il regno di Dio è dentro di voi, ricordi? Questa frase mi aveva già colpito quando vivevo a L'Aquila come sposa infelice. Quella volta, chiudendo gli occhi, scivolando con lo sguardo all'interno non riuscivo a vedere niente. Dopo l'incontro con padre Thomas qualcosa era cambiato, continuavo a non vedere niente, ma non era più una **cecità assoluta**, in fondo al buio cominciava a esserci un **chiarore**, ogni tanto, per brevissimi istanti riuscivo a **scordarmi** di me stessa. Era una luce piccola, debole, una **fiammella** appena, **sarebbe bastato un soffio** per spegnerla. Il fatto che ci fosse però mi dava una leggerezza strana, non era felicità quella che provavo ma gioia. Non c'era euforia, **esaltazione**, non mi sentivo più saggia, più in alto. Quel che cresceva dentro di me era soltanto una serena **consapevolezza** di esistere.

Prato sul prato, quercia sotto la quercia, persona tra le persone.

in soffitta up in the attic
opilionidi daddy longlegs
travi beams
nidi di ghiri nests of dormice

scoperta discovery

presepe crêche
bauli trunks
Avvolti Wrapped up

attrezzatura equipment
caramelle candies
legate con un nastrino tied with a ribbon

crollo *here:* ruins (*literally:* collapse)
bruciacchiate, annerite scorched, blackened
tirate fuori pulled out
reliquie relics
catino di smalto enameled basin
zuccheriera sugar bowl
posata place setting of silverware
stampo mold
slegate unbound, loose

20 dicembre

Preceduta da Buck questa mattina sono andata **in soffitta**. Da quanti anni non aprivo quella porta! C'era polvere dappertutto e grandi **opilionidi** sospesi agli angoli delle **travi**. Muovendo le scatole e i cartoni ho scoperto due o tre **nidi di ghiri**, dormivano così profondamente che non si sono accorti di niente. Da bambini piace molto andare in soffitta, non altrettanto piace da vecchi. Tutto quello che era mistero, avventurosa **scoperta**, diventa dolore del ricordo.

Cercavo il **presepe**, per trovarlo ho dovuto aprire diverse scatole, i due **bauli** più grandi. **Avvolti** in giornali e stracci mi sono capitati tra le mani la bambola preferita di Ilaria, i suoi giochi di quand'era bambina.

Più sotto, lucidi e perfettamente conservati, c'erano gli insetti di Augusto, la sua lente di ingrandimento, tutta l'**attrezzatura** che usava per raccoglierli. In un contenitore per **caramelle** poco distante, **legate con un nastrino** rosso c'erano le lettere di Ernesto. Di tuo non c'era niente, tu sei giovane, viva, la soffitta non è ancora il tuo luogo.

Aprendo i sacchetti contenuti in uno dei bauli ho trovato anche le poche cose della mia infanzia che si erano salvate dal **crollo** della casa. Erano **bruciacchiate, annerite**, le ho **tirate fuori** come fossero **reliquie**. Si trattava per lo più di oggetti di cucina: un **catino di smalto**, una **zuccheriera** di ceramica bianca e azzurra, qualche **posata**, uno **stampo** da torta e in fondo, le pagine di un libro **slegate** e senza copertina. Che libro era? Non riuscivo a ricordarmelo. Soltanto quando con

257

meraviglie wonders

fantascienza science fiction

sorti destinies, lots

si sarebbero avverate would come true, would be fulfilled

ibernare hibernate

scongelati unfrozen

piattaforma volante flying saucer

condotti brought

istruttivo instructive, educational

astronavi spaceships

fame hunger

modo equo equally

abitanti inhabitants

sollevavano relieved [them] of

coltivare le parti più nobili di sé cultivate the more noble parts/aspects of oneself

risuonava resounded

versi poetry

filosofiche philosophical

pacate e dotte serene and learned

positivista positivistic, believing that science and enlightened thinking eventually will bring about a more utopian world

ipotizzato hypothesized

avverato taken place, come true

darwiniana Darwinian

panciotto a quadri checked/checkered vest

si affacciano gongolanti looked out in delight

fugare dispel

osato dared

delicatezza l'ho preso in mano e ho cominciato a scorrere le righe dall'inizio, tutto mi è tornato in mente. È stata un'emozione fortissima: non era un libro qualsiasi ma quello che da bambina avevo amato più di tutti, quello che più di ogni altro mi aveva fatto sognare. Si chiamava *Le **meraviglie** del Duemila* ed era, a suo modo, un libro di **fantascienza**. La storia era abbastanza semplice ma ricca di fantasia. Per vedere se le magnifiche **sorti** del progresso **si sarebbero avverate**, due scienziati di fine Ottocento si erano fatti **ibernare** fino al Duemila. Dopo un secolo esatto il nipote di un loro collega, scienziato a sua volta, li aveva **scongelati** e, a bordo di una piccola **piattaforma volante**, li aveva **condotti** a fare un giro **istruttivo** per il mondo. Non c'erano extraterrestri in questa storia né **astronavi**, tutto quello che avveniva riguardava soltanto il destino dell'uomo, quello che aveva costruito con le sue mani. E, a sentire l'autore, l'uomo aveva fatto tante cose e tutte meravigliose. Non c'era più **fame** nel mondo né povertà perché la scienza, unita alla tecnologia, aveva trovato il modo di rendere fertile ogni angolo del pianeta e – cosa ancora più importante – aveva fatto in modo che quella fertilità venisse distribuita in **modo equo** tra tutti i suoi **abitanti**. Molte macchine **sollevavano** gli uomini dalle fatiche del lavoro, il tempo libero per tutti era molto e così ogni essere umano poteva **coltivare le parti più nobili di sé**, ogni lato del globo **risuonava** di musiche, di **versi**, di conversazioni **filosofiche pacate e dotte**. Come se ciò non bastasse, grazie alla piattaforma volante, ci si poteva trasferire in poco meno di un'ora da un continente all'altro. I due vecchi scienziati sembravano molto soddisfatti: tutto quello che, nella loro fede **positivista** avevano **ipotizzato**, si era **avverato**. Sfogliando il libro ho ritrovato anche la mia illustrazione preferita: quella in cui i due corpulenti studiosi, con barba **darwiniana** e **panciotto a quadri, si affacciano gongolanti** dalla piattaforma a guardare sotto.

Per **fugare** ogni dubbio, uno dei due aveva **osato** fare la

anarchici anarchists
rivoluzionari revolutionaries
sorridendo smiling
il ghiaccio dei Poli the Polar icecaps
nuocere agli altri cause harm to others
eserciti armies
incalzava pressed on, insisted

tiravano un sospiro di sollievo breathed a sigh of relief
bontà originaria original goodness

di distruggere to destroy
a trattenersi to contain himself
ormai superati by now surpassed, outdated
ordigno explosive device, bomb

briciole e schegge bits and pieces (*literally:* crumbs and splinters)
incubi nightmares
la rivoluzione d'ottobre The [Russian] Bolshevik Revolution, which began with a coup d'état in October 1917
bisbigliare dai grandi the grown-ups whispering
cosacchi cossacks
scesi fino a gone all the way [down] to
abbeverato let drink
fonti sacre sacred fountains
imbevuto drenched
zoccoli hooves

sconvolgenti disturbing, shocking

domanda che più gli stava a cuore: «E gli **anarchici**», aveva chiesto, «i **rivoluzionari** esistono ancora?». «Oh, certo che esistono», aveva risposto la loro guida **sorridendo**. «Vivono in città tutte per loro, costruite sotto il **ghiaccio dei Poli**, così se per caso volessero **nuocere agli altri**, non potrebbero farlo.»

«E gli **eserciti**», **incalzava** allora l'altro, «come mai non si vede neanche un soldato?»

«Gli eserciti non esistono più», rispondeva il giovanotto.

A quel punto i due **tiravano un sospiro di sollievo**: finalmente l'uomo era tornato alla sua **bontà originaria**! Era un sollievo di breve durata però perché subito la guida diceva loro: «Oh no, non è questa la ragione. L'uomo non ha perso la passione **di distruggere**, ha solo imparato **a trattenersi**. I soldati, i cannoni, le baionette, sono strumenti **ormai superati**. Al loro posto c'è un **ordigno** piccolo ma potentissimo: si deve proprio a lui la mancanza di guerre. Basta infatti salire su un monte e lasciarlo cadere dall'alto per ridurre il mondo intero a una pioggia di **briciole e schegge**».

Gli anarchici! I rivoluzionari! Quanti **incubi** della mia infanzia in queste due parole. Per te forse è un po' difficile capirlo ma devi tenere conto che quando è scoppiata **la rivoluzione d'ottobre** io avevo sette anni. Sentivo **bisbigliare dai grandi** cose terribili, una mia compagna di scuola mi aveva detto che di lì a poco i **cosacchi** sarebbero **scesi fino a** Roma, a San Pietro e avrebbero **abbeverato** i loro cavalli alle **fonti sacre**. L'orrore, naturalmente presente nelle menti infantili, si era **imbevuto** di quell'immagine: di notte, al momento di addormentarmi, sentivo il rumore dei loro **zoccoli** in corsa giù dai Balcani.

Chi avrebbe potuto immaginare che gli orrori che avrei visto sarebbero stati ben diversi, ben più **sconvolgenti** dei cavalli al galoppo per le vie di Roma! Quando da bambina leggevo questo libro facevo grandi calcoli per capire se, con i miei anni, sarei riuscita ad affacciarmi al Duemila. Novant'anni mi sembrava un'età piuttosto avanzata ma non impossibile da raggiungere.

ebbrezza lightheadedness, intoxication
un senso leggero a slight sense
sarebbero giunti would not arrive [to witness it]

rimpianto regret

compiersi carried out
l'ordigno minuscolo the tiny explosive
capita it happens

sorge e tramonta rises and sets
minima minimal
accelerato faster
bersaglia it bombards

diffondersi spread out
spicchi wedges
fiato sospeso holding our breath

si abbattono i muri they bring down the walls (certainly an
    allusion to the Berlin Wall, but also to divisions between
    populations in general)
reticolati barbed-wire fences
imbalsamata embalmed
innocua innocuous, harmless

Quest'idea mi dava una sorta di **ebbrezza**, **un senso leggero** di superiorità su tutti coloro che al Duemila non **sarebbero giunti**.

Adesso che quasi ci siamo, so che non ci arriverò. Provo **rimpianto**, nostalgia? No, sono soltanto molto stanca, di tutte le meraviglie annunciate ne ho vista **compiersi** una soltanto: **l'ordigno minuscolo** e potentissimo. Non so se **capita** a tutti negli ultimi giorni della propria esistenza, questo senso improvviso di aver vissuto troppo a lungo, di aver troppo visto, troppo sentito. Non so se capitava all'uomo del neolitico come capita adesso oppure no. In fondo, pensando al secolo quasi intero che ho attraversato, ho l'idea che in qualche modo il tempo abbia subito un'accelerazione. Un giorno è sempre un giorno, la notte è sempre lunga in proporzione al giorno, il giorno in proporzione alle stagioni. Lo è adesso come lo era al tempo del neolitico. Il sole **sorge e tramonta**. Astronomicamente, se c'è una differenza, è **minima**.

Eppure ho la sensazione che adesso tutto sia più **accelerato**. La storia fa accadere tante cose, ci **bersaglia** con avvenimenti sempre diversi. Alla fine di ogni giorno ci si sente più stanchi; al termine di una vita, esausti. Pensa soltanto alla rivoluzione di ottobre, al comunismo! L'ho visto sorgere, a causa dei bolscevichi non ho dormito la notte; l'ho visto **diffondersi** nei paesi e dividere il mondo in due grandi **spicchi**, qui il bianco e lì il nero – il bianco e il nero in lotta perpetua tra di loro – per questa lotta siamo rimasti tutti con il **fiato sospeso**: c'era l'ordigno, era già caduto ma poteva cadere di nuovo in qualsiasi momento. Poi, ad un tratto, un giorno come tutti gli altri, apro la televisione e vedo che tutto questo non esiste più, **si abbattono i muri**, i **reticolati**, le statue: in meno di un mese la grande utopia del secolo è diventata un dinosauro. È **imbalsamata**, è ormai **innocua** nella sua immobilità, sta in mezzo a una sala e tutti ci passano davanti e dicono, com'era grande, oh, com'era terribile!

cavallette locusts

scaramuccia cruenta cruel or particularly nasty skirmish

cratere fumante smoking craters

augurio benevolo [an expression of] good wishes, well-
   wishing

sconquasso [general feeling of] confusion, disorientation

castigo scourge

si applicheranno they will apply themselves

con buona volontà with goodwill, in good faith

scimmione great big monkey

in balìa at the mercy of

manovrare maneuver

emergere emerge

stupidaggine idiocies

sprecato le sue potenzialità wasted his potential

Dico il comunismo, ma avrei potuto dire qualsiasi altra cosa, me ne sono passate talmente tante davanti agli occhi e di queste tante nessuna è rimasta. Capisci adesso perché dico che il tempo è accelerato? Nel neolitico cosa mai poteva succedere nel corso di una vita? La stagione delle piogge, quella delle nevi, la stagione del sole e l'invasione delle **cavallette**, qualche **scaramuccia cruenta** con dei vicini poco simpatici, forse l'arrivo di una piccola meteorite con il suo **cratere fumante**. Oltre il proprio campo, oltre il fiume non esisteva altro, ignorando l'estensione del mondo il tempo per forza era più lento.

«Che tu possa vivere in anni interessanti», pare si dicano tra loro i cinesi. Un **augurio benevolo**? Non credo, più che un augurio mi sembra una maledizione. Gli anni interessanti sono i più inquieti, quelli in cui accadono molte cose. Io ho vissuto in anni molto interessanti, ma quelli che vivrai tu forse saranno più interessanti ancora. Anche se è una pura convenzione astronomica, il cambio di millennio pare porti sempre con sé un grande **sconquasso**.

Il primo gennaio del Duemila gli uccelli si sveglieranno sugli alberi alla stessa ora del 31 dicembre del 1999, canteranno allo stesso modo e, appena finito di cantare, come il giorno prima, andranno alla ricerca di cibo. Per gli uomini invece sarà tutto diverso. Forse – se il **castigo** previsto non sarà giunto – **si applicheranno con buona volontà** alla costruzione di un mondo migliore. Sarà così? Forse, ma forse anche no. I segnali che fin qui ho potuto vedere sono diversi e tutti in contrasto tra loro. Un giorno mi pare che l'uomo sia soltanto uno **scimmione in balìa** dei suoi istinti e in grado purtroppo di **manovrare** macchine sofisticate e pericolosissime; il giorno dopo invece, ho l'impressione che il peggio sia già passato e che la parte migliore dello spirito cominci già ad **emergere**. Quale ipotesi sarà vera? Chissà, forse nessuna delle due, forse davvero nella prima notte del Duemila il Cielo, per punire l'uomo della sua **stupidaggine**, del modo poco saggio in cui ha **sprecato le sue potenzialità**,

lapilli brimstone

fatina fairy [godmother]
esprimere tre desideri make three wishes
ghiro...cincia...ragno dormouse...titmouse...spider

roseo rosy
l'assolutezza the absolute conviction
ti perseguitava chased you down

ben più decisiva much more decisive
apparenza appearances

soffice soft
consegnato delivered
tirannia dell'esteriorità tyranny of outward appearances

farà cadere sulla terra una terribile pioggia di fuoco e **lapilli**.

Nel Duemila tu avrai appena ventiquattro anni e vedrai tutto questo, io invece me ne sarò già andata portandomi nella tomba questa curiosità insoddisfatta. Sarai pronta, sarai capace di affrontare i tempi nuovi? Se in questo momento scendesse dal cielo una **fatina** e mi chiedesse di **esprimere tre desideri**, sai cosa le chiederei? Le chiederei di trasformarmi in un **ghiro**, in una **cincia**, in un **ragno** di casa, in qualcosa che, non visto, ti viva accanto. Non so quale sarà il tuo futuro, non riesco a immaginarlo, siccome ti voglio bene soffro molto a non saperlo. Le poche volte che ne abbiamo parlato tu non lo vedevi per niente **roseo**: con **l'assolutezza** dell'adolescenza eri convinta che l'infelicità che **ti perseguitava** allora ti avrebbe perseguitato per sempre. Io sono convinta dell'esatto contrario. Perché mai, ti domanderai, quali segni mi fanno nutrire quest'idea folle? Per Buck, tesoro, sempre e soltanto per Buck. Perché quando l'hai scelto al canile credevi di aver scelto soltanto un cane tra gli altri cani. In quei tre giorni in realtà hai combattuto dentro di te una battaglia ben più grande, **ben più decisiva**: tra la voce dell'**apparenza** e quella del cuore senza alcun dubbio, senza alcuna indecisione, hai scelto quella del cuore.

Alla tua stessa età molto probabilmente io avrei scelto un cane **soffice** ed elegante, avrei scelto il più nobile e profumato, un cane con cui andare a passeggio per essere invidiata. La mia insicurezza, l'ambiente in cui ero cresciuta mi avevano già **consegnato** alla **tirannia dell'esteriorità**.

presepe Nativity scene
stampo da torta cake pan
incendio fire

trisavola great-great grandmother

arrugginito rusted
lavello sink
spugnette sponges

impasto dough

riassuma sums up
baule trunk

ritegno restraint
singhiozzi sobs

Oddio Oh my God

21 dicembre

Da tutta quella lunga ispezione in soffitta ieri alla fine ho portato giù soltanto il **presepe** e lo **stampo da torta** sopravvissuto all'**incendio**. Il presepe va bene, dirai, siamo a Natale, ma lo stampo cosa c'entra? Questo stampo apparteneva a mia nonna cioè alla tua **trisavola** ed è l'unico oggetto rimasto di tutta la storia femminile della nostra famiglia. Con la lunga permanenza in soffitta si è molto **arrugginito**, l'ho portato subito in cucina e nel **lavello**, adoperando la mano buona e le **spugnette** adatte, ho cercato di pulirlo. Pensa quante volte nella sua esistenza è entrato e uscito dal forno, quanti forni diversi e sempre più moderni ha visto, quante mani diverse eppure simili l'hanno riempito con l'**impasto**. L'ho portato giù per farlo vivere ancora, perché tu lo usi e magari, a tua volta, lo lasci in uso alle tue figlie, perché nella sua storia di oggetto umile **riassuma** e ricordi la storia delle nostre generazioni.

Appena l'ho visto in fondo al **baule** mi è tornata in mente l'ultima volta che siamo state bene assieme. Quand'era? Un anno fa, forse un po' più di un anno fa. Nel primo pomeriggio eri venuta senza bussare nella mia stanza, io stavo riposando distesa sul letto con le mani raccolte sul petto e tu vedendomi eri scoppiata a piangere senza alcun **ritegno**. I tuoi **singhiozzi** mi hanno svegliata. «Cosa c'è?» ti ho chiesto mettendomi a sedere. «Cos'è successo?» «C'è che presto morirai», mi hai risposto piangendo ancora più forte. «**Oddio**, tanto presto speriamo di no», ti ho detto ridendo e poi ho aggiunto: «Sai cosa? Ti insegno qualcosa che io so fare e tu no, così quando

269

buttato le braccia al collo threw [your] arms around [my] neck

sciogliere la commozione lighten the mood

infilarti to put on

grembiule apron

bigodini rollers, curlers

ciabatte slippers

chiare da montare a neve whipping the egg whites

accusavi male a un polso you complained of a sore wrist

ti arrabbiavi you got mad

non si amalgamava ai tuorli didn't blend with the egg yolks

leccare il mestolo licking the mixing spoon

sciolto melted

tinto di marrone *in effect:* had a brown spot on it

non ti vergogni aren't you ashamed/embarrassed

riducendo...stato pietoso turning it into a sorry state

fondata sulla complicità based on mutual understanding

scurirsi turning brown (*literally:* darkening)

ti siederai you'll sit on

non ci sarò più la farai e ti ricorderai di me». Mi sono alzata e mi hai **buttato le braccia al collo**. «Allora», ti ho detto per **sciogliere la commozione** che stava prendendo anche me, «cosa vuoi che ti insegni a fare?» Asciugandoti le lacrime ci hai pensato un po' e poi hai detto: «Una torta». Così siamo andate in cucina e abbiamo iniziato una lunga battaglia. Prima di tutto non volevi **infilarti** il **grembiule**, dicevi: «Se me lo metto poi dovrò mettere anche i **bigodini** e le **ciabatte**, che orrore!». Poi davanti alle **chiare da montare a neve accusavi male a un polso, ti arrabbiavi** perché il burro **non si amalgamava ai tuorli**, perché il forno non era mai abbastanza caldo. Nel **leccare il mestolo** con cui avevo **sciolto** la cioccolata il naso mi si è **tinto di marrone**. Vedendomi sei scoppiata a ridere. «Alla tua età», dicevi, «**non ti vergogni**? Hai il naso marrone come quello di un cane!»

Per fare quel semplice dolce abbiamo impiegato un pomeriggio intero **riducendo** la cucina in uno **stato pietoso**. All'improvviso tra noi era nata una grande leggerezza, un'allegria **fondata sulla complicità**. Soltanto quando la torta è entrata finalmente nel forno, quando l'hai vista **scurirsi** piano piano oltre il vetro, tutt'a un tratto ti sei ricordata perché l'avevamo fatta e hai ricominciato a piangere. Davanti al forno cercavo di consolarti. «Non piangere», ti dicevo, «è vero che me ne andrò prima di te ma quando non ci sarò più ci sarò ancora, vivrò nella tua memoria con i bei ricordi: vedrai gli alberi, l'orto, il giardino e ti verranno in mente tutti i momenti felici che abbiamo passato assieme. La stessa cosa ti succederà se **ti siederai** sulla mia poltrona, se farai la torta che oggi ti ho insegnato a fare e mi vedrai davanti a te con il naso color marrone.»

allestire set up
camino fireplace
ho sistemato I placed/arranged
muschio secco dry moss
sparsa spread out
oche geese
caproni goats
nastro adesivo adhesive tape

furore di coerenza *in effect:* fervor for doing things just so
contraddistingue characterizes

greppia manger
planare glide
stalla stall
tappetino small mat
non ti stufavi mai you never grow tired

22 dicembre

Oggi, dopo la colazione, sono andata in salotto e ho cominciato ad **allestire** il presepe al solito posto, vicino al **camino**. Per prima cosa **ho sistemato** la carta verde, poi i pezzetti di **muschio secco**, le palme, la capanna con dentro san Giuseppe e la Madonna, il bue e l'asinello e **sparsa** intorno la folla dei pastori, le donne con le **oche**, i suonatori, i maiali, i pescatori, i galli e le galline, le pecore e i **caproni**. Con il **nastro adesivo**, sopra il paesaggio, ho sistemato la carta blu del cielo; la stella cometa l'ho messa nella tasca destra della vestaglia, in quella sinistra i Re Magi; poi sono andata dall'altro lato della stanza e ho appeso la stella sulla credenza; sotto, un po' distante, ho disposto la fila dei Re e dei cammelli.

Ti ricordi? Quand'eri piccola, con il **furore di coerenza** che **contraddistingue** i bambini, non sopportavi che la stella e i tre Re stessero fin dall'inizio vicino al presepe. Dovevano stare lontano e avanzare piano piano, la stella un po' avanti e i tre Re subito dietro. Allo stesso modo non sopportavi che Gesù Bambino stesse prima del tempo nella **greppia** e così dal cielo lo facevamo **planare** nella **stalla** alla mezzanotte in punto del ventiquattro. Mentre sistemavo le pecore sul loro **tappetino** verde mi è tornata in mente un'altra cosa che amavi fare con il presepe, un gioco che avevi inventato tu e **non ti stufavi mai** di ripetere. Per farlo, all'inizio, credo che tu ti sia ispirata alla Pasqua. Per Pasqua, infatti, avevo l'abitudine di nasconderti le uova colorate nel giardino. Per Natale invece delle uova tu

273

quando io non vedevo when I wasn't looking
gregge flock
impensati unlikely
a belare to bleat

smarrita lost, missing
ti porto in salvo I'll save you

presunzione presumption

intransigenza intransigence
conduce brings [one]
Pietà, bada bene, non pena Compassion, mind you, not
  pity
spiritelli malefici little evil spirits
mucchio di dispetti a ton of dirty tricks
ubriacherai get drunk

lampadario chandelier
a notte fonda in the middle of the night

una vita buttata via a life thrown away

Abbi cura di te Take care of yourself

sradicato uprooted

nascondevi le pecorelle, **quando io non vedevo** ne prendevi una dal **gregge** e la mettevi nei luoghi più **impensati**, poi mi raggiungevi dov'ero e cominciavi **a belare** con voce disperata. Allora iniziava la ricerca, lasciavo ciò che stavo facendo e con te dietro che ridevi e belavi giravo per la casa dicendo: «Dove sei pecorella **smarrita**? Fatti trovare che **ti porto in salvo**».

E adesso, pecorella, dove sei? Sei laggiù adesso mentre scrivo, tra i coyote e i cactus; quando starai leggendo con ogni probabilità sarai qui e le mie cose saranno già in soffitta. Le mie parole ti avranno portata in salvo? Non ho questa **presunzione**, forse soltanto ti avranno irritata, avranno confermato l'idea già pessima che avevi di me prima di partire. Forse potrai capirmi soltanto quando sarai più grande, potrai capirmi se avrai compiuto quel percorso misterioso che dall'**intransigenza conduce** alla pietà.

Pietà, bada bene, non pena. Se proverai pena, scenderò come quegli **spiritelli malefici** e ti farò un **mucchio di dispetti**. Farò la stessa cosa se, invece di umile, sarai modesta, se ti **ubriacherai** di chiacchiere vuote invece di stare zitta. Esploderanno lampadine, i piatti voleranno giù dalle mensole, le mutande finiranno sul **lampadario**, dall'alba **a notte fonda** non ti lascerò in pace un solo istante.

Invece non è vero, non farò niente. Se da qualche parte sarò, se avrò modo di vederti, sarò soltanto triste come sono triste tutte le volte che vedo **una vita buttata via,** una vita in cui il cammino dell'amore non è riuscito a compiersi. **Abbi cura di te.** Ogni volta in cui, crescendo, avrai voglia di cambiare le cose sbagliate in cose giuste, ricordati che la prima rivoluzione da fare è quella dentro se stessi, la prima e la più importante. Lottare per un'idea senza avere un'idea di sé è una delle cose più pericolose che si possano fare.

Ogni volta che ti sentirai smarrita, confusa, pensa agli alberi, ricordati del loro modo di crescere. Ricordati che un albero con molta chioma e poche radici viene **sradicato** al primo colpo di

linfa sap
scorre a stento barely flows
egual misura equal measure
starci sopra stick to them
riparo shade

imboccarne una a caso take any old one
fiduciosa trusting
farti distrarre getting distracted

vento, mentre in un albero con molte radici e poca chioma la **linfa scorre a stento**. Radici e chioma devono crescere in **egual misura**, devi stare nelle cose e **starci sopra**, solo così potrai offrire ombra e **riparo**, solo così alla stagione giusta potrai coprirti di fiori e di frutti.

E quando poi davanti a te si apriranno tante strade e non saprai quale prendere, non **imboccarne una a caso**, ma siediti e aspetta. Respira con la profondità **fiduciosa** con cui hai respirato il giorno in cui sei venuta al mondo, senza **farti distrarre** da nulla, aspetta e aspetta ancora. Stai ferma, in silenzio, e ascolta il tuo cuore. Quando poi ti parla, alzati e va' dove lui ti porta.

LIN·GUAL·I·TY

presents

SUSANNA TAMARO

author of

VÁ DOVE TI PORTA IL CUORE

FOLLOW YOUR HEART

in an interview conducted by
Lisa R. Tucci

Recorded December 2007
at Studio Colosseo, Rome

Transcribed and Edited by
Elaine O'Reilly
Lisa R. Tucci

Diamo il benvenuto a Let's welcome

suo libro your book. The interviewer uses the formal, or third-person, form throughout to address the author.

testo text
riadattarle adapt them
ricevitore receiver, *i.e.,* the reader
scopo aim
far conoscere to introduce, make known
in modo tale che so that

annoiarmi being bored
alimentare nourish
asfittico stifling
si spegne that goes out [like a candle]
dunque *colloquial:* well
coltivo I grow, cultivate
affitto I rent out
ecc... Italian abbreviation for etcetera (etc.)

① *D*iamo il **benvenuto a** Susanna Tamaro, che ringraziamo per essere venuta qui a parlarci dei suoi libri. Saranno felici i nostri ascoltatori-lettori di Linguality per questo incontro.

*– Susanna, il **suo libro** è stato tradotto in 43 lingue, come lei sa molto spesso le traduzioni cambiano un po' il senso del **testo**, cambiano l'intenzione dell'autore, perché la trasposizione da una lingua all'altra, molto spesso crea la necessità proprio di cambiare delle formule per **riadattarle** al **ricevitore**. Lo **scopo** di Linguality, quindi il nostro scopo, è quello di **far conoscere** il suo libro in lingua originale, **in modo tale che** i nostri ascoltatori-lettori possano capire davvero il senso di quello che lei voleva trasmettere. Ma prima di parlare del suo più grande successo, che è* Va' dove ti porta il cuore, *ci può raccontare di cosa si sta occupando in questo momento?*

– Ma…io mi occupo sempre di molte cose perché sono una persona curiosa e detesto **annoiarmi**. Scrivere è qualcosa che…anche si deve **alimentare** della vita, credo. Se non si vive anche molto con delle curiosità, con delle passioni, con dei rapporti nuovi, la scrittura alla fine diventa qualcosa di **asfittico**, qualcosa che **si spegne**, diventa fine a se stessa, **dunque** non c'è più vita dentro. Dunque tra le varie attività io appunto ho una casa in campagna, con della terra, e **coltivo** diverse cose e seguo personalmente le coltivazioni e ho una casa per vacanze che **affitto** ai turisti e poi…seguo… Questo è un grande lavoro, tutto questo! Poi insegno arti marziali e…dunque devo fare le lezioni, occuparmi, studiare, viaggiare **ecc**…e poi…

dirigo I manage, run
devoluto transferred [funds]
diritti d'autore royalties

creasse would create
miglioramento betterment

si discute it is discussed/argued
se sia giusto o meno whether it's right or not
doppiare to dub
proporli to offer them

pigra lazy
mantenere keep up
tedesco German
li so già a memoria I already know them by heart (*literally:* by memory)
praticamente practically
vocaboli vocabulary
sottotitolati subtitled
svolta turning point
stranieri foreign
all'estero abroad, in other countries
Tant'è vero As a matter of fact
Fiera del Libro di Francoforte Frankfurt Book Fair
emerso emerged
tradotti translated
davvero poco very few

cosa? E poi **dirigo** una Fondazione; una Fondazione a cui ho **devoluto** i miei **diritti d'autore**. Quando ho cominciato a vendere un po' troppe copie del libro, ho pensato che era giusto reinvestire questi soldi in qualcosa che **creasse** un po' di…un po' di speranza nel mondo…un po' di **miglioramento**. E dunque ho fatto una Fondazione che si occupa di aiutare le donne soprattutto a studiare a livello universitario nei paesi del mondo più difficili…E poi scrivo, naturalmente, e poi quando posso faccio anche i film.

② — *Infatti, come Lei sa, da tanti anni, **si discute**, nel cinema italiano, **se sia giusto o meno doppiare** i film o se è meglio **proporli** in lingua originale. Proprio per questo motivo, e proprio per questa nuova necessità di far conoscere gli autori nella loro lingua, Linguality vuole proporre i libri di diversi autori in lingua originale e lo faremo anche con il suo libro, Va' dove ti porta il cuore. Che cosa ne pensa di questa nostra idea?*

— Ma penso che è molto utile…perché io ho sempre un problema con le lingue che mi piace impararle mi piace leggerle, ma sono anche molto **pigra** appunto di cercare…Per esempio per imparare le lingue o per **mantenere** le lingue, leggo i miei libri nella lingua che voglio…non so, in **tedesco**, in francese così…siccome **li so già a memoria** i miei libri in italiano, imparo…faccio lo stesso lavoro vostro **praticamente**…conosco i **vocaboli** automaticamente, dunque. Penso che sia un lavoro molto buono e ce ne dovrebbero essere di più perché sia vedere i film, **sottotitolati**, ma sentendo l'originale, sia vedere libri è una cosa molto importante per imparare le lingue.

③ — *Credo infatti che questa iniziativa rappresenti una **svolta** per la letteratura e per la conoscenza degli autori **stranieri all'estero**. **Tant'è vero** che da un convegno, tenutosi alla **Fiera del Libro di Francoforte** è **emerso** che sono tradotti in America pochissimi libri di autori stranieri. In dieci anni, sono stati **tradotti** solo 56 libri francesi…ed è **davvero poco**!*

carriera career
scrittura writing

siccome seeing that

di essere portata to have a talent for
mi sono rivolta I turned to
adatta suited to
gli anni '70 the 1970s
il clima the climate

come regista as a film director
ripiegare fall back on

fogli di carta sheets of paper
ripiego expedient/improvised solution

sceneggiatura screenplay
strutturato structure it, set it up

contratto di regia contract as a director
come spesso succede as often happens
è saltato tutto it all fell apart (*literally:* blew up)
mettere in piedi get off the ground (*literally:* get on its feet)

indirizzarci verso guide/lead us toward

*Ma tornando alla sua **carriera**, quand'è che ha pensato di lasciare il cinema per dedicarsi alla **scrittura**? Quand'è che ha pensato che la scrittura potesse diventare il suo lavoro e il suo vero modo di esprimersi?*

– Ma inizialmente **siccome** anche non sono mai stata molto brava a scuola a scrivere in italiano, non ho mai pensato **di essere portata** per scrivere dei libri. È per questo ho cominciato, amando raccontare storie, inizialmente **mi sono rivolta** al cinema perché mi sentivo molto più **adatta** a lavorare col cinema. Poi però erano **gli anni '70,** in Italia era molto difficile **il clima** che c'era in generale, politico e culturale. E quando sono uscita dalla scuola di cinema volevo fare un film dopo qualche anno **come regista** ed era, diciamo, praticamente impossibile. E allora ho provato a **ripiegare** sulla scrittura, perché in fondo per fare un film devo trovare molti soldi, per scrivere un libro basta comprare una… dei **fogli di carta** e scrivere. E così ho cominciato a scrivere…È stato un **ripiego** abbastanza positivo.

④ *– Quando Lei ha iniziato a scrivere il suo primo libro, l'ha pensato come una **sceneggiatura** di un film o l'aveva già **strutturato** come un testo letterario?*

– Beh, sì, ho scritto inizialmente una sceneggiatura per fare un film, avevo anche un **contratto di regia**, praticamente quasi subito finita la scuola. Però poi, **come spesso succede** nel cinema, **è saltato tutto**…poi non sono più riuscita a **mettere in piedi** il film…allora ho detto…'ma intanto provo a scrivere'. Però mi piace molto anche il cinema e adesso, in questo momento, mi piacerebbe più fare cinema.

⑤ *– Molto spesso lei ha definito,* Va' dove ti porta il cuore, *come un viaggio dello spirito, dell'anima. Scrivendolo voleva dare una guida a tutti noi? Voleva **indirizzarci verso** un cammino di vita? Oppure lei ha scritto solo per se stessa…più che per se stessa, ha scritto della sua anima?*

inizialmente initially
per se stessi for oneself

non ce l'ho I don't have

non piacerà per niente no one will like it at all

a quanto pare it would seem

addirittura actually, even (stated to underscore, as an exclamation)
consulente editoriale publishing consultant
Mi raccomando Take my advice, Take it from me
'sto libro this book *('sto = questo)*. The author is conveying the consultant's contempt for her book by imitating his Roman dialect.
Magari Perhaps
mettilo in un cassetto put it aside *(literally:* in a drawer)
case editrici publishing houses
insomma *here:* for goodness sake
vanno vissute must be experienced
Cambia il titolo Change the title

faceva un po' paura it scared [them] a bit

– No, **inizialmente**, credo che sempre si scriva **per se stessi**, per chiarire qualcosa dentro di sé che si vuole vedere meglio; qualcosa che si vuole esplorare. E l'idea del pubblico viene, anzì, meglio, sì... **non ce l'ho** l'idea di scrivere al pubblico.

È sempre un rapporto tra me e quello che scrivo...

Anche alle volte dico...'ma questo che sto facendo **non piacerà per niente**', perché mi rendo conto che sto facendo delle cose molto...magari molto interiori – molto, così, alle volte anche difficili.

(6) – *Quando Lei ha messo penna su carta non credeva che un libro del genere, un libro che parlasse dello spirito o dell'anima potesse avere tanto successo e richiamare, in questo modo l'attenzione del pubblico. Invece, **a quanto pare**, le quattordici milioni di copie vendute, dichiarano il contrario ed evidentemente era proprio il momento giusto per scriverlo!*

– Sì infatti **addirittura** mi ricordo che una persona, un **consulente editoriale** che aveva letto il libro, mi aveva detto: *"**Mi raccomando!** 'sto libro,"* dice, *"non pubblicarlo adesso, perché un libro che non...non va bene per questi tempi!"* Dice: *"**Magari, mettilo in un cassetto**, lo pubblichi fra vent'anni."* ... così. Quanto si capisce quanto capiscono le **case editrici**, no? E io per un attimo ho pensato...ma sì forse, poi...ho detto: 'Ma no, **insomma** l'ho scritto adesso, dunque le cose **vanno vissute** nel momento in cui si fanno. Poi pazienza, se non andrà...intanto l'ho scritto, facciamolo esistere sul mercato.' Avevo ragione io. Mi avevano anche detto: *"**Cambia il titolo**, perché è un titolo che assolutamente non funziona."* Io ho detto: "No, il titolo non si cambia."

– *Per quale motivo credeva che il pubblico non fosse pronto per questo tipo di libro?*

– Non io, ma naturalmente, ma le persone della casa editrice. Non lo so...**faceva un po' paura**, forse, perché in

onesto honest
Sul fallimento About the failure
sulla ricerca about the search
al di là above and beyond

insomma in short (often used for emphasis)
genere umano human race

sentimenti emotions
nascosti hidden

un filo che leghi a tie that binds
senza ragione senseless
abbastanza schizofrenici fairly/pretty schizophrenic
radici roots
proiettati thrown into (*literally:* projected)
apparenza appearance
essere umano human being
raccontare le storie tell stories

nucleo nucleus

descritto described
cadere falling
sentimentale sentimentality
Che significa? What does that mean?

i classici the classics
Ottocento...Seicento 1800s...1600s
ci riguarda has to do with us
perversione perversion
cioè that is
esasperazione superficializzata rendering it extremely shallow/
  insincere

fondo è un libro molto **onesto,** anche molto duro, no? **Sul fallimento** di una vita, **sulla ricerca** di un senso che vada **al di là** della superficialità. E si pensava che non fosse adatto – non so per quale ragione – perché poi in realtà è andato bene in gran parte dei paesi del mondo – dunque non era solo per l'Italia il momento giusto. Era un libro adatto per il momento…del, **insomma**, del **genere umano**, anzi, così si può dire.

❼   *– Come potrebbe spiegare il fatto che i lettori si siano così identificati con le pagine del suo libro, con questi **sentimenti** profondi, **nascosti**. Forse abbiamo bisogno di parlare di sentimenti, oggi?*

– Sì, **un filo che leghi** le cose con un certo senso di…di comprensione, no? Che viviamo in tempi abbastanza…così abbastanza **senza ragione**, **abbastanza schizofrenici** in cui, no? C'è questa corsa, questa perdita totale delle **radici** dell'uomo, ma sembra che siamo tutti **proiettati** in una dimensione virtuale. Questa è l'**apparenza**, ma naturalmente l'uomo è sempre l'**essere umano**, dunque…l'essere umano ha bisogno di **raccontare le storie**, di capire le origini, di capire chi è, di capire dove va, il senso della sua vita; anche se si vive nel mondo di internet, insomma, l'anima umana, il **nucleo**, per fortuna, è sempre quello, insomma…spero!

*– Ha **descritto** questo libro come, "un libro di sentimenti, senza **cadere** nel **sentimentale**". **Che significa?***

– Beh, penso che…non c'è niente che la letteratura vera, la letteratura insomma, quella che dura, che è profonda, parla sempre dei sentimenti dell'uomo…Noi leggiamo ancora **i classici**, no, dell'**Ottocento**, anche del **Seicento**, che sentiamo che è ancora moderno, che **ci riguarda**, dunque qualcosa che riguarda la nostra anima. Mentre il sentimentalismo è, come dire, una **perversione**, in qualche modo, del sentimento, **cioè** la sua **esasperazione superficializzata**, se non superficiale.

esternati expressed

non ci scava di profondità there's no digging any deeper

È la descrizione...esterna del paesaggio It's an outward
  description of the landscape [of feelings]

l'analisi the analysis

punto di verità moment of truth

compare appears

affermarlo to say so yourself

rinnovata renewed

È d'accordo? Do you agree?

fenomeno straordinario extraordinary phenomenon

emozionante exciting

ovunque wherever

sperduti out of the way [places]

le più disparate the most varied/dissimilar

poliziotto policeman

non hanno l'abitudine they don't have the habit/aren't used to

costante all the time, constantly

come si ponevano what was their attitude toward

lettura reading [in general]

vuoto vacuum

lettori forti serious readers (*literally:* strong readers)

per mestiere for their work

Per cui tutti i sentimenti sono **esternati** in maniera…con molti aggettivi…con molta…però **non ci scava di profondità**, no? **È la descrizione**, diciamo **esterna del paesaggio**. Invece **l'analisi** del sentimento è una cosa molto importante che credo che è quella che fa il senso di tutta l'arte, insomma anche, anche della scultura, del quadro. Cioè, quando c'è qualche **punto di verità** dell'essere umano che **compare** nell'opera d'arte…quello è il sentimento vero.

❽ — *Lei è troppo modesta per* **affermarlo***, ma io credo che Lei, come J.K. Rowling, abbiate creato proprio una* **rinnovata** *passione per la lettura.* **È d'accordo?**

— Sì, credo che sia stato veramente un **fenomeno straordinario** e anche per me molto **emozionante** e di grande responsabilità. Perché ci sono persone che…tante persone che non hanno mai letto un libro e il cui unico libro è stato questo, *Va' dove ti porta il cuore.* Perché ancora adesso, e son passati 13 anni da quando è uscito, io **ovunque** vado in Italia, nei posti più **sperduti**, nei paesini, ci sono persone, **le più disparate**, dal **poliziotto**, alla signora che sta al bar, ecc., che hanno letto *Va' dove ti porta il cuore.* Persone che sicuramente **non hanno l'abitudine** a leggere **costante**, o ad avere un rapporto con la letteratura, però quel libro lì è…è arrivato in tantissime, veramente tantissime case e ha, in alcuni casi, ha aperto la porta della lettura alle persone.

❾ — *Prima che fosse pubblicato* Va' dove ti porta il cuore, **come si ponevano** *gli italiani di fronte alla* **lettura?**

— Ma credo che prima del mio caso, in Italia, c'era un vero **vuoto** di…cioè, diciamo, i **lettori forti**, quelli che leggono **per mestiere**, per passione, per tradizione familiare e poi c'era un vuoto di non-lettori. Mentre il mio libro è stato il primo libro… che…era un libro, insomma di qualità. Ma ha raggiunto un

impensabile   unthinkable, hardly imaginable
concezione...snobbistica   snobbish idea about
non so come dire   I don't know how to say it…
intellettuali   intellectuals
stabilisce   establishes

Dimenticando   Forgetting, Not taking into account
enorme   enormous, huge
romanzo   novel
popolare   popular
tabú da infrangere   taboo to break

c'è disprezzo   there's [an element of] contempt
da noi   with us (*i.e.*, here in Italy)
per forza noiosa   inevitably boring
L'arte alta   High art
tocca le corde interne   touches us inside (*literally:* our internal
   chords)

si riscontra   one encounters
altrettanto affascinante   just as intriguing

faticoso   difficult

che io facessi   that I would produce
impegnativo   demanding, challenging
storia   history
sono rimasti un po'…   they were a bit…
anzi molto scioccati   or rather, very shocked

pubblico assolutamente **impensabile** per un libro di qualità.

Questo, perché in Italia c'è una **concezione** della letteratura un po', un po' **snobbistica**. Cioè se...il libro non deve piacere alle masse, **non so come dire**. Cioè c'è un gruppo di **intellettuali** che **stabilisce** quello che è buono e quello che non è buono e generalmente poi quello che piace a molti, è naturalmente 'non buono'. **Dimenticando** che tutti i grandi classici hanno un pubblico **enorme,** cioè, da Dickens, ecc., che sono tutti libri straordinari e hanno tutti un pubblico enorme. Cioè il **romanzo** nasce per essere **popolare**, non nasce per essere una cosa di élite, no? Dunque, c'è stato questo **tabú da infrangere** che...si può fare della buona letteratura e per tante persone, insomma.

– E' vero! Infatti abbiamo un po' tutti questa idea dei bestsellers...

– Sì, allora **c'è disprezzo**. Però **da noi** deve essere arte, e l'arte deve essere **per forza noiosa** e deve essere per forza per poche persone. Non è vero. **L'arte alta** è per tante persone. Tutti apprezziamo un grande quadro o un grande romanzo perché appunto come dicevo prima è qualcosa che **tocca le corde interne** di tutti noi quando l'arte è alta, no?

⑩ *– Quando **si riscontra** un grande successo con un libro, non è facile poi ricominciare a scrivere e trovare una storia **altrettanto affascinante**, perché probabilmente le aspettative del pubblico sono troppo alte. È stato **faticoso** per Lei, ricominciare a scrivere?*

– Sì. Beh...è stato faticoso nel senso che proprio per come si sono create le cose, per come va il mondo culturale-industriale, tutti si aspettavano **che io facessi** una seconda parte del libro e cioè la...quella che ho fatto molti anni dopo. Invece io ho fatto un libro completamente diverso, molto... molto **impegnativo**, un libro sulla **storia**, sul comunismo. E dunque tutti **sono rimasti un po', anzi molto scioccati**, quelli

si aspettavano were expecting
via interiore inner path
se coincide if it coincides

ho perso…per la strada I lost…along the way

tradito betrayed
in profondità in depth

Rimanendo fedele ai miei temi Remaining faithful to my
   themes
replicando repeating

Vale a dire That is to say
fanno i pubblicitari they work in advertising
insolita unusual
linea guida theme or set course

si è cimentata you have undertaken
generi genres

l'ispirazione the inspiration
imbrogliare in nessun modo cheat/deceive in any way
funziona works

che **si aspettavano** qualcos'altro.

Ma io penso che uno scrittore deve seguire la sua **via interiore** non…e non il mercato. Adesso se…**se coincide**, benissimo, ma non è che uno con tutti i libri deve raggiungere 14 milioni di lettori. Cioè, ogni libro ha il suo pubblico e credo che alla fine è quello che il pubblico italiano, e non solo italiano – anche se **ho perso** tantissimi lettori **per la strada**, naturalmente.

Ma quello per cui mi ama, è che non ho mai **tradito** nel mio lavoro; nel senso che ho continuato a lavorare **in profondità** con libri magari anche più difficili, ma sempre offrendo una grande onestà intellettuale, una grande onestà di racconto…**Rimanendo fedele ai miei temi**, portandoli avanti…non **replicando** la stessa cosa in maniera, diciamo seriale, un po' ripetitiva, ma cercando sempre nuove, nuove strade. Dunque anche se ho perso tanti lettori per la strada, e comunque mantengo un…un nucleo di lettori molto forte e anche insomma, abbastanza grosso di numero.

⑪ *– Lavorando per Linguality e intervistando diversi autori mi sono accorta che molti hanno diversi lavori. **Vale a dire**, oltre a fare gli scrittori, fanno i musicisti, **fanno i pubblicitari!** Cosa che in America è **insolita** perché uno scrittore solitamente si dedica unicamente al proprio lavoro; seguendo molto spesso una **linea guida** nei propri libri, non cambiando mai genere, come ad esempio, Stephen King. Invece so che Lei **si è cimentata** in diversi **generi** e ha scritto anche libri per bambini.*

– Mi piace molto scrivere libri per bambini anche se è molto, molto difficile. Infatti sono tanti anni che non ne scrivo uno. Mi piacerebbe scriverlo, ma non…non mi viene **l'ispirazione**. È molto difficile perché i bambini non si possono **imbrogliare in nessun modo**. O la storia **funziona** o la storia non funziona. Non leggono un libro perché l'ha scritto un nome famoso. Leggono perché la storia piace o non piace. E devo dire che adesso comincio ad incontrare diversi ragazzi…ragazzi di 18, 20 anni, così, che mi incontrano e dicono, *"Ahhh, lo sa che io ho cominciato a leggere –*

mi sono appassionato I've become really crazy about
da grandi for adults
secondo me in my opinion

Cuore di Ciccia *Chubby's Heart.* "Ciccia/o" is a common
    Italian term of endearment.
libro di testo textbook

si affrontano they take on

bulimico bulimic
si è distrutta has fallen apart
Il cerchio magico *The Magic Circle*
cresciuto raised
cane selvatico wild dog
indenne untouched
influsso influence
cassonetto dumpster
cagna female dog
cuccioli puppies
Mowgli the young hero in Rudyard Kipling's *The Jungle Book*
farà una rivolta contro will rise up/revolt against
struggente heart-wrenching

*ho amato la lettura – su i suoi libri da bambini…e dopo adesso **mi sono appassionato** ai libri **da grandi**."* Dunque quando hanno incominciato ad amare il fatto di leggere i libri, nei miei libri da bambini. Questa è una cosa molto bella, **secondo me**.

– *Ci racconta qualcosa su questi testi?*

– Ma, praticamente, uno si chiama ***Cuore di Ciccia*** che lo leggono sempre a scuola, i bambini. È un **libro di testo**. E dunque, quando poi…sono…arrivano ai 14 anni, leggono *Va' dove ti porta il cuore*. Però cominciano con *Cuore di Ciccia* dunque fanno tutto…

⑫ – *Ma anche in questi libri per bambini **si affrontano** temi importanti su come affrontare la vita?*

– Beh, anche lì c'è sempre un…diciamo un tema profondo, nascosto dentro, anche se sono libri molto divertenti, anche molto appassionanti…

Però, il primo, *Cuore di Ciccia,* è una storia di un bambino **bulimico**, che ha una famiglia che **si è distrutta**; quindi diventa bulimico.

Poi c'è il secondo, che io adoro, che si chiama ***Il cerchio magico,*** che è la storia di un…di un bambino **cresciuto** da un **cane selvatico** in un parco di Roma ed è dunque l'unico che è **indenne** all'**influsso** della televisione perché è cresciuto…è stato abbandonato in un **cassonetto**.

Questo cane, questa **cagna**, lo adotta coi suoi **cuccioli**, e cresce un po' come **Mowgli** però in un parco di Roma e dunque si…**farà una rivolta contro** chi vuole distruggere il mondo con la televisione, con i supermercati, ecc.

E l'ultimo si chiama, *Tobia e l'angelo,* ed è una storia molto, molto **struggente**, molto…però è molto poetica, di una storia di una bambina, della perdita del nonno, insomma; un problema sulla…la riflessione sulla morte sulla…insomma sulla vita.

dubbio doubt
si avvertono one senses

Fai bene! You're doing the right thing
rimprovero reproach

rinunciato renounced, given up
vicolo dead end
assistermi take care of me
approva approves

allevata raised, brought up

Soprattutto Above all
vecchiaia old age

guida telefonica phone book
meravigliata amazed by
indignata indignant

si ritrovava did you find yourself

ben distribuito evenly shared

⑬   – *Tornando invece al suo libro…alla fine, la nonna dice di seguire sempre il cuore. A me è venuto un* **dubbio**, *perché molto spesso, quando la nonna parla dell'America* **si avvertono** *delle piccole critiche… Allora mi chiedevo: 'La nonna era davvero d'accordo con la scelta della nipote, di seguire i propri desideri, di cambiare nazione oppure in fondo criticara questa scelta?'*

– No, no! Dice: "**Fai bene**, fai bene!" Sì, sì…non è un **rimprovero**, no! Infatti, quando dice: *"Non ti ho detto che ero malata perché volevo che tu…saresti tornata a casa, no?"* Ad un certo punto dice: *"Avrei potuto dirti che mi sono ammalata e però non te l'ho detto perché saresti tornata a casa e avresti* **rinunciato** *alla scelta che hai fatto. Dunque, ti saresti chiusa in un* **vicolo** *per* **assistermi**, *e non volevo questo."* Dunque lei **approva**.

– *Anche Lei è stata* **allevata** *da sua nonna, se non sbaglio? Quindi probabilmente, anche se lei ha dichiarato che questo libro non è autobiografico, qualcosa della sua esperienza personale ci sarà?*

– **Soprattutto** nel raccontare anche la **vecchiaia**… perché…Una volta ho ricevuto una telefonata da una Signora anziana, quando ancora avevo il numero di telefono sulla **guida** (**telefonica**, ndr). E, mi dice, *"Io ho letto il libro, e sono…mi è piaciuto molto, ma sono molto* **meravigliata** *insomma,* **indignata** *perché, cioè io ho 80 anni e lei ha descritto perfettamente quello che si prova a 80 anni."* Dice, *"Come ha fatto?"* Dice, *"E poi, cosa farà quando avrà 80 anni lei?",* mi ha detto.

Ed io ho detto: *"Eh…quando avrò 80 anni, scriverò la storia di una persona di 30…perché!"*

⑭   – *Mentre scriveva il libro* **si ritrovava** *di più nel personaggio della nipote o della nonna?*

– Mah…beh, sì…più alla nonna, anche un po' alla nipote, veramente, ma era abbastanza **ben distribuito**.

sorprendente surprising
salto generazionale generational skip

da trattare to handle
una famiglia di tipo tradizionale a traditional kind of family

mi ha colpito struck me
impatto impact
altre realtà other cultures (*literally:* realities)

sviluppi developments

struttura familiare family structure

Estremo Oriente Far East

tenuta insieme held together

disgregata broken up
rispetto a noi compared to us

vicinanza closeness
rende diversa makes it different
comprensione understanding, comprehension

da dove veniamo where we come from
geneticamente genetically
preceduto came before

– La cosa **sorprendente**, per me che sono americana, è proprio questo **salto generazionale**. La storia narra di un rapporto nonna-nipote e non mamma e figlia. Sinceramente questo mi sembra un tema molto più semplice **da trattare** in un paese come l'Italia dov'è più facile trovare **una famiglia di tipo tradizionale**. In America invece, molto spesso i nipoti non hanno neanche l'opportunità di conoscere i nonni. La cosa che **mi ha colpito** è che il suo libro è stato tradotto in 43 lingue diverse. Che **impatto** crede che abbia avuto il suo libro in **altre realtà,** come in quella americana?

– Ma è stato molto interessante perché nell'essere tradotto appunto in tante lingue in tanti paesi diversi, ho potuto seguire nei vari **sviluppi**, diciamo, il rapporto col pubblico. Il libro ha avuto un grandissimo impatto nei paesi in cui c'è una **struttura familiare** ancora solida. Cioè, in quelle famiglie, sono ancora famiglie…nel senso, posso dire, tutto il bacino mediterraneo, no? Tutta Turchia, Spagna, Portogallo, Italia anche Nord Africa e poi tutto il Sud America. E anche nel **Estremo Oriente**: Cina, Giappone, Corea. Perché anche lì la famiglia è ancora una cosa **tenuta insieme**, insomma, che tiene insieme la società.

Mentre in paesi in cui, tipo, Nord Europa, naturalmente, no?…in cui la famiglia è più **disgregata**, insomma disgregata, ha un diverso rapporto **rispetto a noi**. Il libro si sente bene ma non c'è stato quel passaggio generazionale che c'è stato in questi paesi. Penso che l'America, ha anche questo problema, appunto, di non esserci questa **vicinanza** tra nonni e famiglia che **rende diversa**, probabilmente la **comprensione** del libro.

(15) – Cosa dobbiamo imparare da questo libro, specialmente noi americani?

– Ahhh…I rapporti tra le generazioni, l'importanza dei rapporti tra le generazioni, perché è sempre qualcosa. Cioè **da dove veniamo** anche **geneticamente**, anche culturalmente, come educazione, cioè da chi ci ha **preceduto**. È molto importante perché ci dà tante cose che noi poi dobbiamo

bagaglio baggage

Non nasciamo come funghi nel bosco We're not born like
    mushrooms in the wood

fare crescere help to grow

prozia great aunt

ammirava she admired

mai percepito never perceived

giudizio judgment

era voluto questo was this intentional

sofferto suffered

avrebbe aspirato would have aspired

infelicità unhappiness

inevitabilmente inevitably

si trascinano they drag on

tramandano they're passed on

invidiosa envious

ambientato a set in

se non sbaglio if I'm not mistaken

imparare a sviluppare o a non sviluppare, se sono negative. Comunque c'è un grande **bagaglio** da portare avanti, no? **Non nasciamo come funghi nel bosco**. Abbiamo una storia da **fare crescere** tutti.

*— Pensi che io avevo una **prozia** italiana, morta a novant'anni, che mi venne a trovare a New York, e questa esperienza la raccontò a tutta la famiglia! Da una parte, **ammirava** la mia indipendenza, la mia libertà, ma in realtà si avvertiva sempre una disapprovazione perché non ero sposata, perché uscivo da sola la sera…Nel libro, invece, non ho trovato una grande differenza fra la mentalità della nonna e quella della nipote…forse di più fra la nonna e la figlia! Ma comunque non ho **mai percepito** un **giudizio…era voluto questo**?*

— Sì, perché lei non…non è una persona che giudica molto. E poi è una persona che ha **sofferto** dalle condizioni in cui si è trovata a crescere agli inizi del '900. Perché si parla degli inizi del '900 a questo punto, no? Era una donna che **avrebbe aspirato** a fare una vita molto più libera e appunto a lavorare, a studiare e a non doversi sposare, no? Però quella volta era praticamente automatico, non c'erano molte altre scelte, che non sposarsi. Cioè non si sposavano solo quelle molto brutte o molto povere, insomma, non c'erano le persone normali, insomma.

Tutte avevano matrimoni davanti a se, per cui…e anche se non erano portate per il matrimonio. Questo ha creato anche molto **infelicità** perché se una persona non è portata per fare figli e sposarsi, **inevitabilmente** poi **si trascinano** e **tramandano** delle difficoltà, per cui non c'è rimpianto perché lei non rimpiange quel mondo, no?

Anzi è **invidiosa** della libertà della nipote…sì invidiosa…è infelice di non essere nata un po' più tardi.

⑯ *— Il libro è **ambientato a** Trieste, nella sua città natale, **se non sbaglio**? Quanto c'è di questa città nei suoi libri?*

sul confine   on the border

bora   the wind off the Adriatic Sea in Trieste
meteorologico   weather conditions

annessa   annexed
Impero   Empire
ha avuto un'altra formazione   it had a different experience
   during its formation
abisso   abyss
educazione delle donne   education [and raising] of women
libertà di costumi   *in effect:* sexual permissiveness (*literally:*
   liberty of mores)
libertà di comportamenti   *in effect:* freedom of expression
   (*literally:* freedom of behavior)
pressante   pressing or oppressive
ebrei   Jews

sciocca   foolish
già   already [back then]
andava in palestra   she went to the gym

nuotavano   they swam
tiravano di scherma   they fenced
emancipate   emancipated

l'ultima   the [very] last

inquieta   restless

storiche   historical

– Beh, c'è moltissimo nei miei libri, che peraltro, anche *Va'
dove ti porta il cuore* è ambientato proprio al paese **sul confine**
con la Jugoslavia, con quella che una volta era la Jugoslavia, e che
una volta era al confine, ora non c'è più neanche il confine.

Comunque c'è a parte, appunto, l'ambientazione, proprio c'è
la **bora**, l'ambientazione naturale, **meteorologico**, paesaggistica.
Ma c'è molto lo spirito della... di Trieste, perché Trieste è molto
diversa dal resto d'Italia. Perché è una città che ha vissuto – che
è stata **annessa** all'Italia molto tardi – che è stata nell'**Impero**
Austro-Ungarico, dunque **ha avuto un'altra formazione**.

Le donne erano molto più libere, ad esempio, lì, rispetto
all'Italia; c'era un **abisso** tra l'**educazione delle donne** di
Trieste e le donne di Roma o di...cioè era proprio impensabile.
Come se fossero una o due generazioni avanti. Perché c'era
questa formazione liberale e...di un po' di **libertà di costumi**,
libertà di comportamenti. Non c'era una presenza della
chiesa anche così **pressante** come in Italia, no? Molti erano...
c'erano tantissimi **ebrei**...Era un mondo cosmopolita, molto
libero, che era un grande porto; era il porto dell'impero Austro-
Ungarico, dunque tutto l'impero aveva...passava per Trieste i
traffici via mare. E dunque è una città internazionale, che non
era una città di provincia.

E dunque, non so, per dire una cosa **sciocca**, ma per dire, **già**
mia nonna andava a far ginnastica, **andava in palestra**. Questo,
agli inizio '900 in Italia era impensabile pensare che una donna
andava in palestra, no? Perché la donna stava a casa, invece,
facevano sport, **nuotavano, tiravano di scherma**, andavano a
cavallo...insomma. Erano già donne molte **emancipate** rispetto
all'Italia. E questa è la storia un po'....

E poi c'è sempre questo senso di così...di vivere sul confine
e quella volta era un confine grosso, perché era al confine con
il comunismo. Adesso non è più, ma una volta era il confine.
Trieste era **l'ultima** barriera prima del mondo che da lì fino a
tutta la Cina era...c'era il mondo dell'Est. Quindi si sentiva
questa pressione e dunque era una città molto **inquieta**, molto
piena di domande, molto piena di...di inquietudine, sia
storiche che, diciamo, personali.

Cos'ha in cantiere?   What's in the works?, What are you
   working on?

incominciando beginning

mettendo al fuoco le idee focusing on some ideas

di riuscirci to accomplish it

privelegiare to favor

serietà seriousness

allegria joy, good cheer

attitudini attitudes

cammino journey

propria one's own

potenzialità dell'amore the power of love

imprevidibile unpredictable

vicolo cieco blind alley

averci fatti partecipi allowed us to be a part of

pensieri thoughts

mi auguro I hope (used in salutations)

madrelingua mother tongue

⑰ – *Ho sentito che fra i suoi progetti futuri c'è di nuovo il Cinema.*
Cos'ha in cantiere?

– Ma sto **incominciando**, sto **mettendo a fuoco le idee**
per fare il prossimo film. Naturalmente è molto difficile trovare
i soldi per farlo. Dunque…mentre un libro posso mettermi
anche domani a scriverlo, fare un film, io penso nel…forse **di
riuscirci** nel 2009, speriamo.

Ho due progetti a cui sto lavorando e non ho ancora deciso
quale…quale **privilegiare** o per quale dei due troverò prima i
soldi. Comunque, sicuramente sarà un film e non un libro.

– *Prima di lasciarci, potrebbe darci qualche consiglio su come
prendere la vita?*

– Ma, che la vita va presa con **serietà** e anche con **allegria**
– le due cose vanno sempre insieme. Perché in fondo è un
gioco molto serio e dunque va presa con queste due **attitudini**.
Serietà perché è una cosa veramente seria, ed è un **cammino**,
diciamo, di costruzione di se stessi, della **propria** personalità.
È un cammino alla scoperta delle **potenzialità dell'amore**
di ogni vita, dunque è serio. Ma anche un…spesso è anche
una cosa bella, allegra, perché la vita è molto varia, è molto
imprevedibile…

E anche quando sembra che sia in un **vicolo cieco**, e sembra
che qualcosa…che tutto sia finito, poi appunto come dicevamo
prima, si apre un'altra porta magari quella porta è…apre su un
giardino più bello di quello che vedevamo prima.

– *Va bene! Noi La ringraziamo molto per essere stata con noi…*
[Grazie] *e per **averci fatti partecipi** dei suoi **pensieri** e dei suoi
progetti. A questo punto **mi auguro** che i nostri lettori possano
leggere il suo libro in **madrelingua**!*

– Grazie!

– *Grazie!*

307